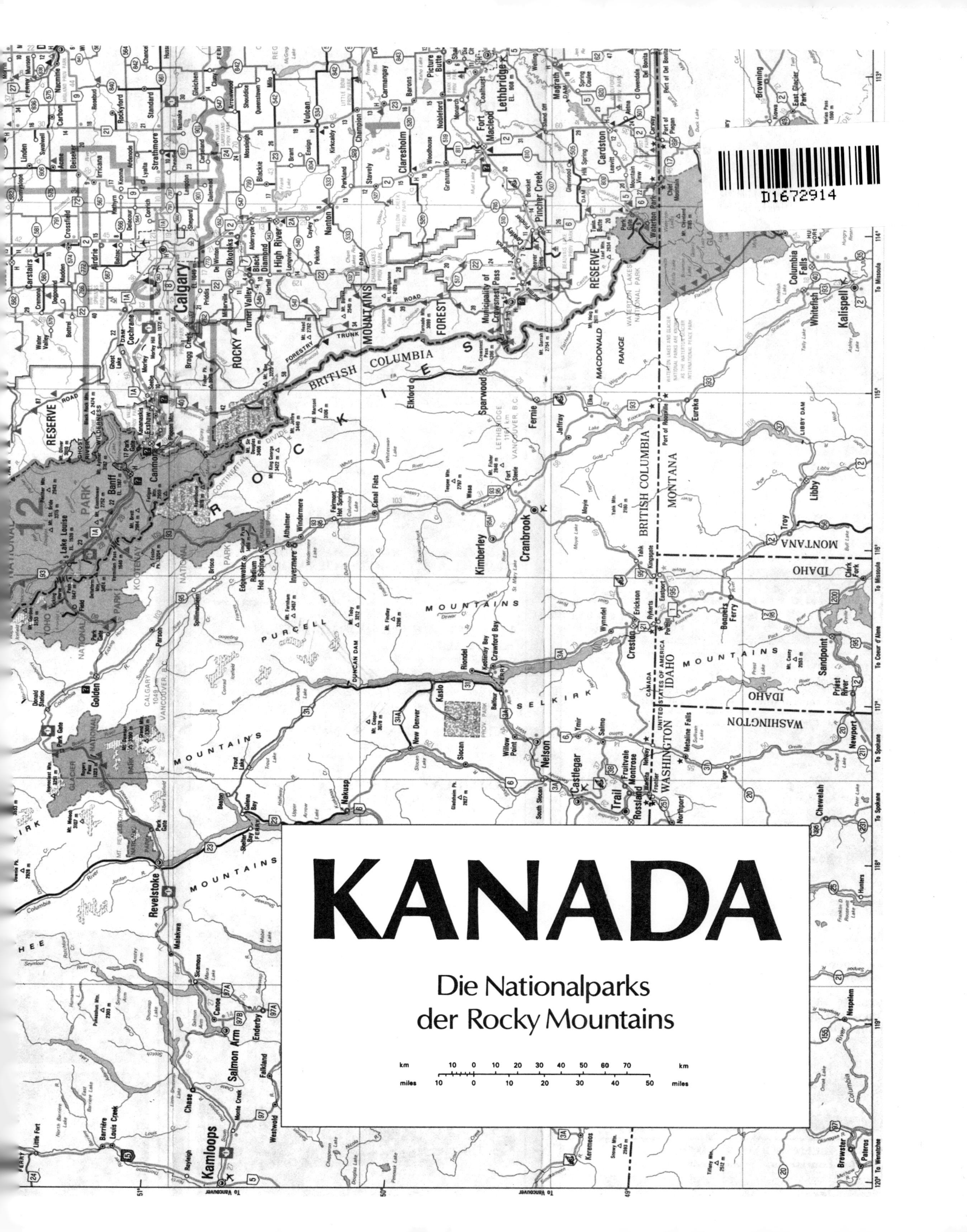
KANADA
Die Nationalparks
der Rocky Mountains
km 10 0 10 20 30 40 50 60 70 km
miles 10 0 10 20 30 40 50 miles

KANADA
Die Nationalparks der Rocky Mountains

G. Sky Worell

KANADA

Die Nationalparks der Rocky Mountains

Gondrom

Alle Bilder stammen vom Autor mit Ausnahme des auf Seite 108 abgebildeten Grizzly-Bären. Dies ist ein Foto von Terry Willis, Lake Louise, Alberta.

Sonderausgabe für Gondrom Verlag GmbH & Co. KG, Bindlach 1992

Umschlaggestaltung: Manfred Sehring, Dreieich-Offenthal

Lithographie: Brönners Druckerei Breidenstein GmbH, Frankfurt am Main

Satz: LibroSatz, Kriftel

Druck und buchbinderische Verarbeitung: ZUMBRINK DRUCK GmbH, Bad Salzuflen

Printed in Germany

ISBN 3-8112-0705-9

Inhalt

Kanada

Kanada ist mit einer Fläche von 9,97 Millionen Quadratkilometern das zweitgrößte Land der Erde, hat jedoch mit rund 25 Millionen Einwohnern nur etwa ein Zehntel der Bevölkerungsdichte der Vereinigten Staaten von Amerika.
Seine ostwestliche Ausdehnung auf dem nördlichen Teil des nordamerikanischen Kontinents beträgt 5185 Kilometer. Von der Grenze zu den USA, dem 49. Breitengrad, erstreckt es sich bis zum Nordpol. Seine Festlandsküsten erreichen eine Gesamtlänge von 58500 Kilometern, die seiner Inseln gar 185249 Kilometer, zusammen also eine Strecke, die den sechsfachen Erdumfang übertrifft.
Ebenso gigantische Ausmaße umfassen seine nutzbare Landmasse, seine unermeßlichen Fischfanggründe, seine bisher nur zum geringsten Teil erforschten oder der Nutzung zugeführten Bodenschätze und seine unerschöpflich scheinenden Waldbestände. Aber auch dies: Nur etwa sieben Prozent seiner unendlichen Weiten können kultiviert werden, vorwiegend aus klimatischen und geotopographischen Gründen.
Diese nüchternen Zahlen geben nur eine teilweise Auskunft über den Charakter und das Ausmaß der Möglichkeiten dieses Landes. Beschränkungen erfährt der verheißungsvolle Erdteil vorwiegend aus seiner nördlich-gemäßigten Lage, deren Witterungsbedingungen gekennzeichnet sind vom feuchtkühlen Küstenklima in den Provinzen, die dem Pazifik im Westen und dem Atlantik im Osten benachbart liegen, über die ausgeprägten Sommer-Winter-Temperaturextreme der kontinentalen Zentralregionen, bis zu den unwirtlichsten und biologisch fast unausschöpfbaren Zonen der Subarktis und des ewigen Eises im Norden.

Die Entstehung der Nationalparks

Die Eroberung des Westens

Wie überall in der Welt unter vergleichbaren Umständen hat sich auch in Kanada erst verhältnismäßig spät im Verlaufe der Erforschung und Besiedlung ein Bewußtsein für die Schutzwürdigkeit seiner Naturlandschaften gegenüber menschlichem Ausbeutungsstreben entwickelt.
Zwei Faktoren wirkten sich dabei zum Vorteil des Landes aus: Zum einen vollzog sich das Erkennen der Bedeutung des Westens im Vergleich zu Amerika um ein Jahrhundert zeitlich verzögert, so daß man sich bereits dort gemachter Erfahrungen und vorbildhafter Entscheidungen bedienen konnte. Zum anderen verlief die Erschließung der noch weitläufigeren Landschaften, deren allgemeine Bedingungen sich zudem wenig begünstigend für eine zügige Besiedlung erwiesen, weitaus weniger stürmisch als während der Goldrausch-Jahrzehnte der vergangenen Jahrhundertmitte im Westen der Vereinigten Staaten.
Fehler, die dort gemacht worden waren, konnten in Kanada als warnende Beispiele gelten und weitgehend vermieden werden.
Eine entscheidende Zeit für die Nation brach an, als man endlich die Durchführung einer lange geplanten Eisenbahnstrecke über die bis dahin, vor allem in den schneereichen Monaten, nur schwer und unregelmäßig überwindbaren Rocky Mountains in Angriff nahm.
Diese für die damalige Zeit ungeheure technische Herausforderung würde die atlantischen Provinzen, deren wirtschaftliches Potential stetig anstieg, an neue Entwicklungsgebiete im fernen Westen anbinden, vor allem aber die schnell aufstrebende Hafenstadt Vancouver am Pazifischen Ozean erreichen, von wo aus sich die andere Hälfte der Welt, der Ferne Osten, dem Überseehandel öffnen sollte. Bis dahin war jedoch ein weiter Weg.
Schon im 18. Jahrhundert war vielen Politikern klar, daß die Erschließung der westlichen Landesteile und der Zugang zum Pazifik eine unerläßliche Voraussetzung für die weitere wirtschaftliche Entwicklung der parallel zu den vorauseilenden USA sich etablierenden Nation war.
Weniger als ein Jahrzehnt vor Beginn des Eisenbahn-Zeitalters waren die vielgestaltigen Landschaften West-Kanadas beidseits der Rocky Mountains weitgehend unbekannt.
Nur die in diesem Gebiet lebenden Indianer, wagemutige Jäger und Pelzhändler hatten bisher in die unüberwindlich scheinenden Alpin-Landschaften einzudringen versucht und sich dort einige Zeit behaupten können, ohne jedoch ihre geographischen Kenntnisse und Erfahrungen weiterzureichen. Handgeschriebene Erlebnisberichte mit einfachen Skizzen wurden nur von engagierten Forschungsreisenden verfaßt, vor allem von Dr. James Hector von der Palliser-Expedition 1858, Father Pierre de Smet, einem aktiven Jesuiten-Missionar, David Thompson, Sir George Simpson oder dem Botaniker Eugene Bourgeau.
Während die von wissenschaftlicher Neugier erfüllten Expeditionsteilnehmer aufschlußreiche und noch heute wertvolle Beobachtungen aufzeichneten, wendeten sich die vorwiegend kirchlich-religiös orientierten Teilnehmer mehr missionarischen Zielsetzungen zu, vor allem der Bekehrung und Taufe jener Indianer, die in den entlegenen Hochgebirgstälern seit vielen Jahrhunderten »heidnisch« lebten und als für den christlichen Glauben bisher Verlorene angesehen wurden.
Gleichwohl ist auch das aus diesen Quellen überlieferte Wissen ein nicht zu unterschätzender Beitrag zur Kulturgeschichte jener frühen Tage, als

die urzeitlichen Waldtäler und drohend aufragenden Gebirgsstöcke noch unbekanntes Land waren, ungewiß durch seine Unermeßlichkeit und feindlich durch seine Witterung, ohne jeglichen Pfad oder bekannte Orientierungspunkte praktisch unzugänglich, unüberwindlich.
Es mußten also Wege gefunden werden, um den Traum einer die Küsten beider Ozeane verbindenden Eisenbahnstrecke zu verwirklichen. Systematische topographische Erforschung und Kartographierung der mittleren Rocky Mountains waren unerläßlich, das Auffinden geeigneter Paßübergänge, die mit den damaligen technischen Mitteln bewältigbar sein würden, immer dringender.
Bereits die Expedition von Dr. James Hector hatte wichtige Aufschlüsse für mögliche Ost-West-Passagen erbracht. Zunächst erreichte er flußaufwärts am Bow River eine »kleine Prärie« am Fuße eines Berges, von dem Wasserfall-Kaskaden niederstürzten, wahrscheinlich den späteren Cascade Mountain. Südwestlich davon gelangte er dann über den 1640 Meter hohen Vermilion Paß zu den Flüssen Vermilion und Kootenay entlang einer Route, die über 50 Jahre später für den jetzigen Highway 93 von Banff nach Windermere gewählt wurde.
Auf seinem weiteren Weg in nördlicher Richtung folgte er dem Kootenay-Fluß bis zum Kicking Horse River, so bei dieser Gelegenheit benannt nach einem Packpferd, welches Dr. Hector aus dem Fluß zu retten versuchte, wobei es nach ihm ausschlug, so daß er selbst bewußtlos geborgen werden mußte.
Der Kicking Horse Paß (1647 Meter) gewährleistet heute die Hauptverbindung für Straße und Schiene über die kanadischen Rockies.
Schon 1793 hatte Alexander Mackenzie von Fort Chipewyan am Lake Athabasca aus entlang der Flüsse Pine, Peace, Fraser und Blackwater die pazifische Küste erreicht. Wenig später überwanden David Thompson und Duncan Gillivray im Dienste der North West Company die östlichen Rocky Mountains und gelangten entlang dem Bow River bis zu einem Gebiet nahe dem heutigen Exshaw. Sieben Jahre später gelang Thompson sogar die Durchquerung der Rockies von Rocky Mountain House aus, wenig nördlich des Lake Windermere und der Quellgebiete des mächtigen Columbia River. Sein Ruhm wurde gekrönt durch die Entdeckung und Überschreitung des Athabasca Passes im Winter 1810/1811, wo er im Januar 1811 auf sechs Meter hohem Schnee sein Lager aufschlug.
Dieser kräftezehrende Hochgebirgs-Übergang entwickelte sich später zum als gefürchteter Athabasca Trail bekannten Handelsweg, der erst um 1826 zugunsten des nördlich davon gelegenen, jedoch leichter überwindbaren Yellowhead Passes aufgegeben wurde. Letzterer wurde dann auch im 20. Jahrhundert für die Trassierung der transkontinentalen Eisenbahnstrecke von den Grand Trunk und Canadian Northern Railway Companies, aus denen später die Canadian Northern Railway Company hervorging, benutzt und ausgebaut.
Ein entscheidend neuer Weg über die zentralen Rockies wurde im Laufe der Forschungsreisen von Sir George Simpson, dem Gouverneur der Hudson Bay Company, im Jahre 1841 entdeckt. Er folgte, von einem Indianer des Cree-Stammes geführt, einem alten Pfad entlang des Bow River westwärts zum Healy Creek, von dem aus ein Punkt auf der Großen Westlichen Wasserscheide (Great Western Continental Divide) erreicht werden konnte, heute bekannt als Simpson Paß.
Wie entbehrungsreich, anstrengend und voller Risiken Expeditionen solcher Art zu jener Zeit waren, wird aus der Tatsache deutlich, daß die Nahrung im Winter wiederholt derart knapp wurde, daß Dr. Hector ernsthaft erwog, eines seiner Pferde zu opfern, damit seine Leute und er, nachdem alles Dörrfleisch längst verbraucht war, nicht verhungern müßten. Zum Glück gelang es seinem indianischen Führer Nimrod gerade noch rechtzeitig, einen Elch zu schießen.
Aber auch reißende Flüsse bei 20 Grad Kälte hüfttief zu durchwaten, war unvermeidlich und mußte durchgestanden werden. Harte Männer waren gefragt. Wie in Amerika zuvor, forderte das »Let's go West« auch im Norden seinen unerbittlichen Tribut.
Hector folgte dem Bow River nördlich bis zum Saskatchewan River, auf einer Route, die der heutigen Streckenführung des Icefields Parkway zwischen Banff und Jasper entspricht.

Schließlich gelangte er am North Saskatchewan River talwärts nach Rocky Mountain House und weiter zum damaligen Fort Edmonton.
In den frühen Monaten des Jahres 1859 brach Hector zu neuen Erforschungen am Athabasca River auf. Unter streng winterlichen Bedingungen sollte dies ein besonders herausforderndes Unternehmen werden, fast stets auf damals noch wenig entwickelten Schneeschuhen, notdürftig versorgt von Proviantschlitten.
Seine Exkursionsroute zeichnete die jetzige Trassenführung der Canadian National Railway weitgehend vor und gab Gelegenheit, die Mehrzahl der Berggipfel des Athabasca-Tales und der Umgebung von Jasper zu benennen.
Inzwischen hatte sich ein ruinöser Konkurrenzkampf entwickelt zwischen den führenden Pelzhandelsgesellschaften jener Gebiete, der Hudson's Bay Company und der rivalisierenden North West Company, die ihre Aufkäufe bis jenseits der Bergmassive Britisch Nordamerikas ausgedehnt hatten. Als beide Firmen 1821 schließlich fusionierten, konnte die Hudson's Bay Company ihre Aktivitäten bis zum Pazifik vortreiben.
Die Einrichtung von Handelsposten entlang der Flüsse, die zum Pazifik führten, vor allem dem beherrschenden Columbia River, folgte der Anspruch Großbritanniens auf die sogenannten »Oregon Territories«, der jedoch bereits im Jahre 1846 im Oregon-Vertrag zugunsten einer endgültigen Grenzziehung durch den 49. Breitengrad zwischen den Vereinigten Staaten und Britisch Nordamerika zurückgenommen wurde.
Fortan endete also die britische Oberhoheit an dieser Linie, was dennoch nicht bedeutete, daß diese vorwiegend politische Grenze *in praxi* gleichermaßen für die Amerikaner wirksam sein mußte. Vielmehr richtete sich deren Augenmerk, vor allem nach Ausbeutung der mittelkalifornischen Goldvorkommen nach 1849, zunehmend auf die verheißungsvollen Funde am Fraser River.
Als 1858 die Anzahl amerikanischer Goldsucher auf über zehntausend geschätzt wurde, erzeugte dies allgemeine Besorgnis über den zunehmenden Einfluß der Amerikaner auf britisches Territorium, weshalb der Gouverneur von Vancouver Abwehrschritte unternahm, die letztendlich darin gipfelten, daß weite Gebiete zur Kronkolonie erklärt und durch Parlamentsbeschluß fürderhin der britischen Regierung unterstellt wurden.
In der Folgezeit einigten sich die Regierungen von Großbritannien und Kanada bald darüber, daß eine verkehrstechnische Erschließung der sich schnell bevölkernden Provinzen Westkanadas, der Kronkolonie British Columbia und Vancouver Island, für die Entwicklung jener Gebiete im gesamtstaatlichen Interesse tatsächlich dringend notwendig war.
Bei den Überlegungen jener Zeit spielte die neue Technologie des Eisenbahnbaues eine dominierende Rolle gegenüber der Anlage von Straßen. Pferdewagen oder Ochsenkarren hatten in diesem gebirgigen und wetterbedrohten Gebiet weder eine realistische Chance noch genügend Kapazität, das Automobil aber war zu jenem Zeitpunkt noch nicht erfunden.
Noch immer jedoch waren die Besitzrechte und der politische Vorsprung der Hudson's Bay Company eine kaum überwindbar scheinende Hürde auf dem Weg zu staatlicher Dominanz oder gar Souveränität.
Nach langen Jahren kontroverser Verhandlungen und teilweise heftigen Ringens um die ungeheuren Landareale des kanadischen Mittelwestens fügte sich die Hudson's Bay Company in einen Interessenausgleich. Am 15. Juli 1870 wurde aus den an Kanada überlassenen Gebietsrechten der Staat Manitoba als fünfte Provinz des Landes gegründet. Gegen Zahlung von 300000 Pfund Sterling als »billigen Ausgleich« von Kanada an die Handelsgesellschaft verzichtete die Hudson's Bay Company auf umfassende Besitzansprüche im Bereich der Northwest Territories und Rupert's Land, die zunächst Kronkolonie wurden, aber bereits 1870 dem Dominium Kanada zugesprochen werden sollten.
1871 wurde British Columbia Mitglied der Konföderation. Damit waren die gesetzlichen Rahmenbedingungen der Union wirksam und Kanada federführend in einem Vertrag mit British Columbia, der die Voraussetzungen und Bedingungen zur Errichtung einer Eisenbahnlinie über die Rocky Mountains und durch British Columbia bis zum Pazifischen Ozean erfüllen sollte.
In Anbetracht der Größenordnung dieses in damaliger Zeit politisch wie technologisch wegwei-

senden Projektes muß es nicht wundernehmen, daß die sich daran knüpfenden finanziellen Interessen zu anhaltenden Turbulenzen bis in höchste Regierungsebenen führten, die nach gezielten Enthüllungen im »Pacific Scandal« gipfelten und zum Rücktritt von Premierminister Sir John A. Macdonald im November 1873 führten.
Schließlich wurden die Bedingungen der öffentlichen Ausschreibung für die abenteuerliche Eisenbahnlinie derart radikal einschränkend formuliert, daß beide vordem hart miteinander konkurrierende Industriegesellschaften unerwartet das gesamte Projekt fallenließen. Da kein weiterer Interessent ein Angebot vorlegte, mußte sich die kanadische Regierung damit abfinden, das risikoreiche Unternehmen in eigener Verantwortung und Regie, unter Aufsicht des Ministeriums für Arbeit und öffentliche Angelegenheiten durchführen zu lassen.
Am 1. Juni 1875 begann der Eisenbahnbau im Osten, wenige Meilen jenseits von Fort Williams, einem vorgeschobenen Regierungsposten, der inzwischen aber weitgehend an Bedeutung verloren hatte.
Bald stellte sich jedoch heraus, daß die Arbeiten nur mühselig vorankamen. Die Weite des Landes, mangelhafte Organisation durch die staatlichen Bediensteten, unzureichender Verpflegungsnachschub und technische Unsicherheiten wirkten sich auf die Fortführung der Strecke hinderlich und stark verzögernd aus.
Im Vergleich dazu schritt der etwa gleichzeitig begonnene pazifische Schenkel der Baustrecke, deren Ausführung man am 14. Mai 1879 dem amerikanischen Ingenieur Andrew Onderdonk übertragen hatte, der über Erfahrungen und Verbindungen zu potenten Finanziers in den USA verfügte, überaus zügig voran. Schon bald war östlich von Selkirk eine Verbindung mit dem amerikanischen Eisenbahnnetz zustande gebracht worden, wodurch eine Verbindung zwischen Winnipeg und St. Paul möglich wurde.
Als es sich in Kanada zudem immer schwieriger erwies, die nötigen Regierungsgelder für den enttäuschenden Fortschritt der östlichen Streckenführung aufzubringen, entschied der inzwischen wiedergewählte Premierminister Macdonald, daß das schwierige Unterfangen besser in Privathand entlassen werden sollte, wobei man bereit war, weiterhin einen festen staatlichen Beitrag zu leisten.
Folgerichtig beschloß das kanadische Parlament im Februar 1881, die als Syndikat gegründete Canadian Pacific Railway Company mit der Fortführung des Bahnstreckenbaues zu beauftragen. Gegen Substitution von 25 Millionen Dollar und 1 Million Hektar Land übernahm die Gesellschaft die Verpflichtung, die Strecke von Lake Nipissing in der Provinz Ontario bis zum Port Moody am Fraser River zu prospektieren und innerhalb eines 10-Jahres-Zeitraumes fertigzustellen.
Mit diesem Vertrag war die entscheidende Zielsetzung zur Erforschung und Erschließung des Westens abgesteckt, der Beginn eines technisch und wirtschaftlich gigantischen Unternehmens manifestiert, welches die Entwicklung Kanadas in den achtziger Jahren und darüber hinaus prägen sollte.
Sobald die ersten Gelder verfügbar waren, unterstützten das Innenministerium und Industriekonzerne die geologische Aufschließung und topographische Vermessung westlicher Areale. Nicht nur wurden die prospektive Streckenführung ermittelt und angrenzende Ländereien als zukünftig schnell sich entwickelnde Gebiete eingestuft und dementsprechend erschlossen, sondern man verwendete sich gleichzeitig, angeregt durch kurz vorausgegangene amerikanische Erfahrungen, für die gezielte Suche nach erhofften Bodenschätzen in jenen bis dahin völlig unbekannten Landesbereichen.
Die Ergebnisse ließen schon bei Vorlage der ersten Berichte aufhorchen: Große Lager wertvoller Mineralien wie auch reichhaltige Kohlevorkommen konnten als wahrscheinlich angesehen werden. An Erdöl dachte man zu jener Zeit noch nicht, da es noch keine erkennbare wirtschaftliche Bedeutung hatte, und auch das Transportsystem dafür sich gerade in der Entstehungsphase befand.
Gleichwohl erkannte man sehr schnell, daß der Eisenbahnbau der Schlüssel werden würde zu einer bis dahin nicht abschätzbar gewesenen Entwicklung des Staates in ökonomischer wie auch politischer Hinsicht, den gewaltigen Aufbruch in ein neues Jahrhundert vielversprechend und stürmisch einleitend.

Als Meldungen über Funde verschiedener Bodenschätze in die Öffentlichkeit drangen, wobei jeder natürlich sofort an Gold und Silber dachte, setzte bald ein dem 1849er Goldrausch in Kalifornien vergleichbarer Ansturm von Prospektoren, Glücksrittern, Goldsuchern, Spekulanten und deren Gefolgsleuten ein, die alle durch entschlossene Ausbeutung der natürlichen Ressourcen, auch der unberührten Wälder und des Wildreichtums, zu schnellem Gewinn kommen wollten.
Damit aber fiel über die eben erst entdeckten weiten Gebiete der erste Pesthauch zivilisatorischen Verderbens, der drohenden Zerstörung jener von der Natur so reich gesegneten Landschaften, die man gerade zu begreifen begann und sich ob ihrer unerwarteten und unversehrten Köstlichkeiten glücklich pries.
Völlig unversehens standen für alle, die sich traditionell, oder von den Geschehnissen wachgerüttelt, für den Erhalt unverdorbener Natur verantwortlich fühlten, die Zeiger auf »fünf Minuten vor zwölf«, höchste Zeit, unverzüglich zu reagieren.

Es war an einem trüben Novembertag des Jahres 1883, als zwei Arbeiter vom Eisenbahnbau, der unterdessen bis weit westlich von Calgary vorgedrungen war, die Umgebung ihres derzeitigen Arbeitsgebietes erkundeten, um zu jagen oder Bodenschätzen nachzuspüren. Frank McCabe, ein Vorarbeiter, und William McCardell, beide geologische Laien, stolperten dabei förmlich über ein völlig unerwartetes Naturphänomen: In kurzer Entfernung sahen sie aus dem Felsboden Dämpfe aufsteigen. Natürlich erregte dies sofort ihre Neugier und trieb sie weiter. Was sie bald erkennen konnten, war umso seltsamer, als es in dieser Gegend nicht zu erwarten gewesen war. Aus einer rundlichen Öffnung im Boden drangen feuchtheiße, schweflig riechende Schwaden. Die weitere Nachschau ergab, daß sie aus einer darunterliegenden Höhle kamen, in der heiße Quellen ein Wasserbecken gefüllt hatten.
Damit waren die beiden Eisenbahnarbeiter die zufälligen Entdecker der heutigen »Cave and Basin Hot Springs« geworden.
McCardell baute in den nächsten Wochen eine primitive Hütte in der Nähe der Quelle und genoß die wohlige Wärme während der unwirtlichen Winterszeit. Unter den Streckenarbeitern sprach sich dies natürlich bald herum.
Bald begannen auch andere, sich für die weitere Erkundung der vielversprechenden Umgebung zu interessieren. Als weiter oben an der Flanke des heute Sulphur Mountain genannten Berges weitere Dampfaustritte beobachtet wurden, führte dies erwartungsgemäß zum Auffinden weiterer Thermalquellen.
Im Laufe der Zeit wurde eine ganze Anzahl weiterer Kabinen und provisorischer Hütten errichtet und von Arbeitern und Gefolgsleuten in zunehmender Regelmäßigkeit genutzt.
Obwohl mehrere der hier Beschäftigten im Laufe der Zeit viel Arbeit und Material in die Zugänglichkeit und Nutzbarkeit insbesondere der höher gelegenen heißeren Quellen investiert hatten, kam doch offentsichtlich keiner von ihnen auf die Idee, welchen kommerziellen Wert dieselben in späteren Zeiten erlangen könnten.
Trotz steigender Bekanntheit und Beliebtheit dieser seltenen Naturattraktion hat niemals einer der frühen Entdecker oder Benutzer das in dieser Zeit zweifellos nächstliegende versucht, nämlich das Gebiet für sich abzustecken und durch Registrierung ein Besitzrecht darauf zu beanspruchen.
Eine Erklärung hierfür bietet vielleicht, daß McCabe und McCardell, wie die meisten beim Eisenbahnbau Tätigen, mit gerade 26 Jahren noch zu jung und als Prospektoren zu unerfahren waren, als der Zufall sie zu einer Entdeckung führte, mit der beide ihr Lebensglück hätten machen können. Aber sie hätten auch nicht das Kapital gehabt, welches damals schon erforderlich gewesen wäre, um dies weitab erschlossener Gebiete liegende Areal vermessen zu lassen, was als Voraussetzung galt für die offizielle Anerkennung des Eigentumsanspruches. Auch wären sie wohl kaum in der Lage gewesen, aus eigener Kraft und Phantasie ein solches Projekt zu entwickeln.
Inzwischen war man an höherer Stelle auf das Naturphänomen aufmerksam geworden. Das Innenministerium in Ottawa erkannte sehr rasch dessen Bedeutung und leitete die ersten Bestrebungen ein, das Gebiet baldmöglichst zum Wohle der Allgemeinheit unter Naturschutz zu stellen, um es vor kommerzieller Ausbeutung zu bewahren.

Die Anregung hierzu war ganz offensichtlich das kurze Zeit zuvor in Amerika geschaffene Vorbild: Bereits im Jahre 1832 hatten die USA durch Regierungsbeschluß ein Gebiet mit 47 heißen Quellen bei Hot Springs in Arkansas von privater Nutzung ausgeschlossen. Die Naturschutz-Idee war damit geboren. Und erst 1872 war ein nur wenige hundert Meilen südlich des Sulphur Mountain gelegenes vulkanisches Gebiet am Yellowstone River im US-Staate Wyoming zum ersten amerikanischen Nationalpark erklärt worden. Die dabei aufgezeigten Prinzipien schienen richtungweisend und mündeten in legislative Formulierungen, die von der kanadischen Regierung beinahe wörtlich übernommen werden konnten.

Rege parlamentarische Aktivität entfaltete sich, Denkschriften wurden übermittelt und die sich ergebenden Probleme und Konsequenzen gründlich erörtert. Im August 1885 besuchte sogar der amtierende Innenminister, der ehrenwerte David L. MacPherson die inzwischen nahe dem Quellgebiet entstandene Ortschaft Banff. Bald darauf wurde eine Gesetzesvorlage erstellt und dem Kronrat vorgelegt, die bereits am 28. November 1885 rechtskräftig wurde. Danach erging die gesetzliche Verfügung, daß rund 16 Quadratkilometer Land am Nordhang des Sulphur Mountain bei Banff für die zukünftige Verwendung als Naturpark reserviert seien. Aber erst nach dreimaliger Lesung und Wiedervorlage erlangte das Gesetz, welches am 22. April 1887 dem Unterhaus eingereicht worden war, schließlich am 23. Juni 1887 königliche Genehmigung.

Seither als »Rocky Mountains Act« ins öffentliche Bewußtsein eingegangen, beinhaltet es, bis heute mit geringfügigen Ergänzungen und Modifikationen gültig, die wesentlichen Prinzipien, welche längst weltweite Anerkennung und Übernahme durch andere Länder bei der Etablierung ähnlicher Projekte staatlichen Naturschutzes gefunden haben. Sie gipfeln in der schönen Formulierung: »Dieses besagte Gebiet Landes ist hiermit abgetrennt und reserviert als öffentlicher Park und Vergnügungsplatz zum Wohle, Vorteil und Genuß des Volkes . . .«

Inzwischen war man vor Ort nicht untätig geblieben. Vielmehr hatte sich allmählich eine beträchtliche Anzahl Interessierter in der Nähe der heißen Quellen eingefunden, die sich am Nordufer des Bow River, das bisher nicht in die beabsichtigten Reservatsgrenzen einbezogen war, einzurichten begannen. Vor allem Geschäfte, Hotels und sogar Sanatoriumspläne standen im Vordergrund der Aktivitäten.

Bereits im Winter 1887 war an der Stelle des bisherigen natürlichen Heißwasser-Abflußganges ein Zugangstunnel zum Quellteich gesprengt worden, damit die vielen Besucher nicht erst über eine Leiter durch die Öffnung in der Decke der konischen Quellhöhle einklettern mußten. Auch eine Wendeltreppe zur Erleichterung des allgemeinen Zugangs wurde zunächst geplant, dann aber zugunsten eines ebenerdigen Zugangstunnels verworfen.

Die Canadian Pacific Railway Company erwies sich durch ihre von Kapitalkraft und Grundbesitz getragenen Planungen bald als der eigentliche Motor weiterer Entwicklung. Der Vizepräsident der Gesellschaft, W. C. van Horne, wählte auf Empfehlung des bekannten Pioniers und Bergführers Tom Wilson, der den Lake Louise und den Emerald Lake entdeckt hatte, ein herrliches Baugelände am Zusammenfluß des Bow River und Spray River, auf dem mehrere Gebäude errichtet wurden. Als »Banff Springs Hotel« erhielt das fünfstöckige Gebäude regen und anhaltenden Zuspruch sowie bald hohes Ansehen.

Ein angeschlossenes Badehaus mit zwei Becken und zehn Wannen, versorgt von den oberen heißen Quellen, war für diese Zeit ein zukunftsweisender Luxus, der sich bezahlt machen sollte. Man suchte Anschluß an den fortschrittlichen amerikanischen Lebensstil und ließ es sich etwas kosten. Wie sich herausstellen sollte, mit Erfolg, wenngleich mit erheblicher Verzögerung. Denn der Eisenbahnbau schritt zwar zügig voran und erfüllte nach vielen technischen Schwierigkeiten endlich auch alle Zielsetzungen, jedoch kam die Entwicklung des Hinterlandes nur sehr mühselig vorwärts.

Der Großteil des Eisenbahnbetriebes war Gütertransport im Fern- und Durchgangsverkehr, während der vergleichsweise zahlenschwache Personenverkehr vorwiegend durch den Güterzügen angehängte Personenwagen bewältigt wurde. Dies aber war für den Reisenden auf jenen unermeßlich langen Strecken ziemlich unbequem, ja beschwerlich, vor allem zeitraubend. Der Zuspruch gegenüber dem neuen Fernverkehrsmittel blieb dementsprechend zögerlich und letztendlich bescheiden. Erst fünfzig Jahre später, nach Trassierung der großen pässeüberwindenden Highways, der allgemeinen Motorisierung durch das inzwischen ausgereifte Automobil und gleichzeitigen internationalen Wirtschaftsaufschwung sollte sich dies gründlich ändern. Aber bis dahin war noch viel Zeit vorgegeben und planerische Geduld aufzubringen.

Zunächst noch begrenzte ein Widerstreit der Interessen und Meinungen jeden schnellen Fortschritt. Auf der einen, mehr kommerziell orientierten Seite, stand die erklärte Absicht, das neugewonnene Land baldmöglich zu erschließen, den weiten Westen in jeder Weise an die Ostprovinzen anzubinden und allen daraus möglichen Vorteil für die in naher Zukunft erhoffte Prosperität zu gewinnen.

Eine entgegengesetzte, beinahe ängstlich besorgte Einstellung, wurde von den naturschützerisch bemühten Konservationisten getragen, die allem übereilten technischen Fortschritt gegenüber äußerst skeptisch waren.

Tatsächlich gelang es in den ersten zwanzig Jahren nach Errichtung des Banff Nationalparks, die wenigen inzwischen angelegten Zufahrtsstraßen dem Gebrauch durch Pferde und Viehwagen vorzubehalten. Außer diesen durfte nur die Eisenbahn zur Versorgung des Parkgebietes wie seiner angrenzenden und von ihm abhängigen Siedlung beitragen. Noch 1905 wurde die monopolartige Stellung der Fuhrunternehmer durch einen Gesetzeserlaß gefestigt, nach dem »der Gebrauch von Automobilen jeder Art verboten (ist) auf allen Wegen oder sonstwo innerhalb des Parks«. Dieser aber umfaßte bereits damals fast das ganze talwärtige Areal, welches von öffentlichem Interesse sein konnte.

Erst 1910, als schon der parkseitige Teil der Straße von Calgary nach Banff fertiggestellt war, erwies sich der politische Druck der Automobil-Lobby als groß genug, um den Innenminister zu einer Lockerung der zeitwidrig gültigen Vorschriften zu veranlassen. Im April 1911 wurde schließlich die erste gesetzliche Verfügung für Motorfahrzeuge erlassen. Danach mußte sich jeder Automobilist beim Superintendent des Parks oder der Royal Mounted Police registrieren lassen und eine Gebühr von 25 Cent entrichten. Auch eine Geschwindigkeitsbegrenzung wurde bereits eingeführt. Innerhalb des Städtchens waren 13 Stundenkilometer erlaubt, außerhalb desselben immerhin 24 Stundenkilometer, was zu dieser Zeit gewiß als sehr großzügige Tolerierung angesehen werden darf.

Auch das touristische Camping war bereits in zunehmendem Maße beliebt und auch wünschenswert, bedurfte allerdings frühzeitig regulatorischer Eingriffe, vor allem, um daraus fiskalischen Vorteil abzuleiten. So hielt man zunächst eine Gebühr von einem Dollar pro Zelt für einen einmonatigen Aufenthalt für angemessen, während für Fahrzeuge zwei Dollar zu entrichten waren.

Dies waren nach heutigem Maßstab ziemlich anspruchsvolle Forderungen für das Jahr 1890, wenn man die Kaufkraft des Geldes berücksichtigt sowie die recht bescheidenen Annehmlichkeiten, die man in jenen Anfangstagen dafür geboten bekam. Genauer betrachtet, bezahlten die Touristen damals vorwiegend für die Genehmigung, sich in dieser ursprünglichen Einsamkeit und unverdorbenen Natur aufhalten und umsehen zu dürfen. Trotzdem kamen jedes Jahr mehr Naturliebhaber in den Westen, neue Naturreservate wurden etabliert, Campingplätze angegliedert, Versorgungseinrichtungen und Straßenzuführungen gebaut.

Die Neufassung des »Dominion Forest Reserves and Park Act« vom 6. Juli 1913 erlaubte die Proklamierung neuer Nationalparks und die Erweiterung bereits bestehender. 1914 wurde der Mount Revelstoke Nationalpark begründet, 1920 der Kootenay Nationalpark und viele andere folgten bald danach, vor allem in den nördlichen und den See-Provinzen.

Aber es sollte ein weiteres Jahrzehnt vergehen, bis auf dem hindernisreichen Weg parlamentarischer Meinungsbildung die politischen Voraussetzungen soweit auf einen gemeinsamen Nenner gebracht werden konnten, daß die Vorlage und Verabschiedung des endgültigen Nationalpark-Gesetzes möglich wurde. Am 30. Mai 1930 erhielt es königliche Genehmigung. Damit war ein legislatives Instrument geschaffen worden, welches richtungweisend und zukunftssicher zum Schutze bisher bekannter und noch zu erfassender Areale unbe-

rührter Natur in Anwendung gebracht werden konnte.
Zahlreiche einzigartige Landschaften, geologische Phänomene, Küsten und Seen, Gletschergebiete, Tundren und Prärien, ökologische Systeme und vom Aussterben bedrohte Pflanzen- und Tierarten wurden so einem wohldurchdachten und strengformulierten Erhaltungsprogramm unterstellt.
Der umfassende Text dieses Gesetzes erlangte glücklicherweise für die übrige Welt solche Beispielkraft, daß man sich in den nächsten Jahrzehnten an ihm orientierte und seine grundlegenden Gedanken folgerichtig übernahm.
Trotzdem dürfte es wohl noch geraume Zeit dauern, bis man in den Staaten der Welt, die ein Naturschutzbewußtsein am dringendsten nötig haben, ein System von Naturparks begründet hat, welches dem kanadischen an Größe, Vielfältigkeit, Zukunftsaussicht, gesetzlicher Verankerung und vorbildhafter Organisation gleichkommt.
Heute bestehen in Kanada neben einer großen Anzahl von Schutzgebieten anderer Kategorien, beispielsweise National Monuments, Historic Parks oder Provincial Parks insgesamt 31 Nationalparks, deren gemeinsames Kennzeichen die schutzwürdige Unberührtheit und Schönheit der Natur ist, die es für kommende Generationen zu bewahren gilt, zur Erbauung, Weiterbildung und Freude aller.
Die augenblickliche Gesamtfläche allein der Nationalparks und National Reserves beträgt 139 749,2 Quadratkilometer, umfaßt also mehr als die Hälfte der rund 250 000 Quadratkilometer großen Bundesrepublik Deutschland. Allerdings beträgt die Landfläche Kanadas auch das etwa 37fache unseres Landes.
1985 konnte Kanada das hundertjährige Bestehen seines Nationalpark-Sytems feiern, des umfangreichsten Naturschutzgebietes der Welt. Es ist der bei dieser Gelegenheit erklärte Wille der kanadischen Regierung, daß auch in Zukunft die Prinzipien der Präservation, der weiteren Ausdehnung und Entwicklung schutzwürdiger Naturgebiete zum Wohle der Allgemeinheit konsequent zur Anwendung gebracht werden.
Kanada ist eine der bis heute 65 Nationen, die der »UNESCO World Heritage Convention« angehören und die Verpflichtung eingingen, sich solidarisch für die Erhaltung der natürlichen und kulturellen Schätze einzusetzen, die weltweit als von hervorragendem Wert erachtet werden.
Sieben kanadische Naturschutzgebiete sind in der Liste dieser Organisation für immer eingetragen, ein Versprechen an die durch eigene Gefährdung besorgte Menschheit.

Geologie und Geographie

Seit Urzeiten haben Berge und Gebirge im religiösen Denken und kulturellen Bewußtsein aller Völker eine hochrangige Bedeutung eingenommen.
Durch unerreichbar scheinende Höhen, wolkenverhüllte Gipfel, eisverkrustete Gletscherflanken, oder auch undurchdringliche Dschungelgürtel oder vulkanische Bedrohlichkeit wurden in vielen Bereichen der Erde isolierte Höhenareale als Sitz der Götter, böser wie guter, heilig gehalten oder verehrt. Stets wurde dabei der Versuch, sie zu betreten und in das Erhabene einzudringen, tabuisiert und als verderblich angesehen.
Erst seit rund einhundert Jahren hat sich diese furchtsam-distanzierte Einstellung vieler Naturvölker zunehmend gelockert, vorwiegend weil nach Gipfeleroberungen durch landesfremde Bergsteiger die erwartete Götterstrafe meist ausblieb. Geblieben aber ist, auch unter Spitzen-Alpinisten das Credo alter Naturphilosophen, sich den dräuenden Gipfelbergen und ihren unberechenbaren Elementen in Demut und tiefer Ehrfurcht zu nähern.
Keine andere Erdlandschaft vermag dem Menschen so deutlich seine Bedeutungslosigkeit, sein hilfloses Ausgeliefertsein an die Mächte der Natur vor Augen zu führen. Dieselbe Natur aber kann den Suchenden mit grenzenloser Bewunderung und Erbauung an den zeitlosen Schönheiten der Natur Gottes erfüllen.
Wer je bei Sonnenaufgang von blanker Gipfelhöhe aus erlebt hat, wie Hunderte von blauschimmernden Felstürmen und Eisgipfeln in den ersten rotgelben Strahlen allmählich sanft erglühen, bald darauf zu funkensprühenden Riesendiamanten werden, wie das wärmende Licht dann in die abgrundtief düsteren Schluchten greift, wo Gletscherseen smaragdgrün, wie von innen erleuchtet, aufscheinen und die Bergflanken gleißend reflektieren, der muß glauben, daß diese überwältigende Szenerie unerforschlich und unveränderlich sei, mit Sinnen nicht faßbar, wie das Sternenfirmament ewig und unbegreiflich.
Und doch erfahren wir in solchen Augenblicken nur einen Sekundenschlag in der stets wechselvollen Entstehungsgeschichte des Kosmos und unserer Erde. Denn täglich ändert sich das Gesicht der Natur, beinahe unmerklich zwar, doch mit elementarer Gewalt und Kontinuität: Schneelawinen reißen Mulden in Berghänge, das Eis sprengt unzerstörbar scheinende Bergformationen, die Gletscher schieben mit der ungeheuren Gewalt ihres drängenden Gewichtes Moränen zur Seite, Gesteinsmassen vor sich her, die ausgeschürften Täler U-förmig weitend.
Reißende Gebirgsbäche schleudern mit polternder Kraft Felsbrocken und Geröll jeder Größe zu Tal. Alles fließt, wird von der Schwerkraft unablässig abwärts bewegt und verändert sich, verändert das Ganze.
Wie sich die äußere Gestalt unserer Erde heute dem naturkundigen Beobachter darstellt, so wird sie schon morgen nicht mehr sein, viel weniger in Jahren oder Jahrtausenden. Noch weit größere Unterschiede zum heutigen Erscheinungsbild unseres Planeten offenbaren sich dem forschenden Verstand des Geologen. Er weiß, welche dramatischen Veränderungen in fast jedem Erdzeitalter das Gesicht unseres Heimatsternes immer wieder gewandelt haben, nicht selten von einem Extrem in das andere.
Wo sich heute die Rocky Mountains über rund 4000 Kilometer in nordsüdlicher Ausdehnung majestätisch erheben, bestand vor etwa zwei Milliarden Jahren, vom Arktischen Meer bis südlich hinab in den Bereich der heutigen kanadisch-amerikanischen Grenze, ein ausgedehntes Binnenmeer, dessen Tiefe und Weite sich über die Jahrhundertmillionen mehrfach geändert haben.

Nach wiederholten Hebungen und Senkungen des Meeresbodens, während derer sich die Überreste von zahllosen Generationen und Arten kalkhaltiger Meerestiere abgesetzt hatten, kam es schließlich zu einer allmählichen und anhaltenden Anhebung des gesamten Gebietes. Dabei überschritt die frühere Einsenkung schließlich die Höhe des vormaligen Meeresspiegels. Die weitere Liftung brachte dann die riesigen Mengen von Kalkschalen-Ablagerungen zu Tage, die viele hundert Meter mächtig geworden waren, in den südlichen Anteilen des nun verebbten Binnenmeeres sogar bis zu 6000 Meter stark.
Daß der Hebeprozeß der Erdkruste noch lange weiter anhielt, gleichzeitig vielfältige Verwerfungen der Gesteinsschichten stattfanden, kann man heute, trotz nachfolgender langer Erosionsprozesse, vor allem in den kanadischen Rocky Mountains überall sehr anschaulich an den Gipfelformationen ablesen. Dabei ist es für den geologischen Laien eher unerheblich, daß sich die Experten über den Beginn des zunehmenden Hebungsprozesses der Erde in diesem Bereich noch nicht widerspruchsfrei einigen konnten. Als gesichert kann jedoch gelten, daß die spätere Entstehung der Rocky Mountains, einem der größten Gebirgssysteme der Erde, zustande kam durch die zunehmend starke Verschiebung der tektonischen Platten des Pazifik und jener des nordamerikanischen Kontinents.
Entsprechend den Erkenntnissen des deutschen Geophysikers Alfred Wegener über die »Kontinentalverschiebungstheorie«, die durch weltweite Forschungsergebnisse der Paläontologie und Geologie bestätigt wurde, »schwimmen« unsere Kontinente in Form leichterer »Sial«-Platten (Silicium-Aluminium) auf dem darunterliegenden Magmabrei des äußeren, aus »Sima« (Silicium-Magnesium) bestehenden Erdmantels.
Wo diese Kontinental-Schollen auseinanderweichen, oft mit hochdrängendem Magma, und solches dabei unter Aufschmelzen austreten lassend, entfernen sich die Kontinente voneinander, bilden oder erweitern sich die Meere.
Wo sie hingegen aufeinanderzudriften, müssen sich die Platten untereinanderschieben, wobei ihre Randzonen einerseits untertauchend in der Tiefe umgeschmolzen werden, andererseits der gegenseitige Plattenrand unter vielfachen Berstungen, Verwerfungen und Brüchen emporgehoben, verschoben und verformt wird und auch vulkanische Intrusionen und Eruptivtätigkeit verursacht wird. Diese Vorgänge setzen sich bis heute unvermindert fort. Ein mehrfach erdumspannendes Linienmuster, gekennzeichnet von aktivem Vulkanismus und ruhelosen Erdbebenzonen, läßt auch jetzt noch die stetig wirksamen Kräfte des Erdinnern erkennen, die seit Urzeiten das Antlitz der Erdoberfläche formen, und vor etwa 70 Millionen Jahren zur Emporliftung der Rocky Mountains führten, der »Krone des Kontinents« von Nordamerika und Kanada.

Der in den kanadischen Felsengebirgen reisende Tourist wird sich aber trotz dieser grundlegenden Darstellung nicht leicht erklären können, wie die an vielen Stellen, vor allem den freiliegenden Gipfelformationen auffälligen, oft recht skurrilen Schichtformen und Linienmuster zustande gekommen sein mögen. Deshalb soll im Folgenden noch etwas näher auf die nach der gebirgsbildenden Hebung stattgehabten Vorgänge eingegangen werden, die teilweise schon weit vor dem Liftungsprozeß begonnen hatten.
Als gesichert kann heute gelten, daß große Teile des Meeres-Sediments während der Kreidezeit vor 125 Millionen Jahren nach Austrocknung des in den Geosynklinaltrog von Norden hereinreichenden Meeresarmes zu Kalkgefels mit Sandeinlagerungen komprimiert wurden und anschließend bereits langdauernder Erosion unterworfen waren, ehe die Hebung des Gebietes Jahrzehnte von Millionen Jahren später begann.
Die von gewaltigen Brechungen und Verwerfungen begleiteten Aufrichtungen waren von solch ungeheurer Stärke, daß Gesteinsformationen zur damaligen Erdoberfläche emporgepreßt wurden, die ein Alter von 1,7 bis 2 Milliarden Jahren ausweisen, was fast der Hälfte des Erdalters entspricht. Im kanadischen Teil der Rockies entstammen sie sogar dem Basisgefels des »Kanadischen Schildes«, also absolutem Urgestein.
So ist es nicht verwunderlich, daß auch der erdgeschichtlich nicht besonders interessierte Besucher immer wieder ins Staunen gerät und nach dem Wieso fragt, wenn er sich konfrontiert sieht mit

Felsformationen, die gewunden, gewellt, ja fast verschlungen aussehen, als ob sie aus einem weichplastischen Material entstanden seien. Wahrscheinlich ist es gerade diese, kaum sonst irgendwo anzutreffende skurril anmutende Konturiertheit der Gipfelberge, die den besonderen Reiz der kanadischen Rockies ausmacht.
Besonders beispielhafte Formationen, welche die gigantischen Kräfte jener Orogenese erkennen lassen, finden sich im Banff Nationalpark. Nahe der gleichnamigen Stadt erhebt sich der 2949 Meter hohe Mount Rundle. Seine ostwärts abfallende Neigung, der steile westseitige Abbruch und die oftmals gebrochene Schichtung veranschaulichen auf eindrucksvolle Weise, wie sich die westwärts driftende nordamerikanische Kontinentalplatte gebirgsbildend über die angrenzende pazifische Platte geschoben hat. Die hierbei entstandenen Rupturen, Scherungen und wunderlich anzusehenden Ondulationen sind an vielen Stellen freistehend sichtbar, nachdem Eiszeit-Gletscher und Erosion das alte Sedimentgestein entblößt haben.
In anderen Bereichen der Rocky Mountains war dieser Gebirgsbildungsprozeß begleitet von kataklysmischen Eruptionen vulkanischen Materials, Lavaflüssen und magmatischen Intrusionen. Aber auch schon im Präkambrium, der ältesten Stufe des Paläozoikums, also weit unterhalb des Kreidesediments, und dieses vielfach in seiner Mächtigkeit durchdringend, waren plutonische Aktivitäten der Erdkruste die Regel, deren granitische Emporquellungen, teilweise an submarinen Stellen, durch die gewaltigen Umschichtungen heute wieder sichtbar geworden sind.
Diese Laven von kissenartiger, ellipsoidaler oder klumpiger Form, »Purcell-Lava« genannt, kann bei Granite Park, sowie in der Nähe des Boulder Passes freigelegt gesehen werden.
Nach weitgehendem Abschluß des gesamten Gebirgsbildungsprozesses, aber auch schon während seines späteren Verlaufes, setzte die Erosion durch Wetter und Verwitterung, Regenstürme und furchende Sturzbäche die Landschaftsmodellierung weiter fort. Diese Vorgänge geschahen jedoch über Millionen von Jahren nur allmählich und trugen wenig zum heutigen Gesicht der Rockies bei. Vielmehr war es das Eis der großen Eiszeiten, das seit Beginn des Pleistozäns, vor etwa einer Million Jahren, die Topographie bis zur heutigen Zeit wesentlich prägte.
Schon gegen Ende des Tertiärs, also weitere hunderttausend Jahre früher, waren die Temperaturen auf dem amerikanischen Kontinent erheblich zurückgegangen. Der reichliche Regen der vordem feuchtwarmen Regionen ging schließlich in Schneefall über, welcher zunächst nur in größeren Höhen liegenblieb. Durch den Druck seines eigenen Gewichts verdichtete er sich allmählich zu gletscherbildenden Firnfeldern, deren riesige Mahlströme begannen, die vorgeformten Erosionsmulden und Flußtäler auszufüllen.
Zu solidem Eis gepreßt, reichten schließlich enorme Gletschermassen von den höchsten Erhebungen, aus denen nur wenige Gebirgsgipfel noch herausragten, bis in die niederen Regionen hinab, wobei sie, mit ihrem Massengewicht der Erdkraft folgend, ihre Bahn stetig weiteten.
Auf diese Weise wurden die ursprünglichen flachen Hangmulden, in die sich Bäche und Flüsse mit ihren Erosionskräften V-förmig eingefräßt hatten, im Laufe der folgenden Jahrhunderttausende zu weiten Tälern von U-förmigen Querschnitt ausgeschürft, auf beiden Seiten Felsmaterial der benachbarten Berge mitgerissen und zu Moränenschutt zermalmt talwärts abgelagert.
Dieser Prozeß wiederholte sich nach einer längeren Periode der Beruhigung mit erneuter Intensität während der Großen Eiszeiten, die erst vor etwa 10000 Jahren vorläufig endeten. Damit hatte auch die Bildung der Landschaftsformen, wie wir sie heute vorfinden, einen gewissen Abschluß gefunden. Aber noch immer drängen in den Rocky Mountains ungeheure Eisströme zu Tale, ebnen Urformen anstehenden Gesteins oder hinderliche Vorsprünge, brechen ältesten Fels und selbst härteste Granitfundamente, um das ausgeschürfte Material auf immer tiefer sich eingrabender Basis talwärts zu verfrachten.
Obwohl bis heute nicht alle Bedingungen einer Gletscherbewegung widerspruchsfrei erforscht sind, nimmt man allgemein an, daß mehrere Faktoren dabei zusammenwirken, Eis »fließbar« zu machen. Offenbar wälzt sich ein Gletscher umso machtvoller und schneller talwärts, je größer seine Dicke und die ihm unterliegende Geländeneigung sind. Dies scheint bei oberflächlicher Betrachtung

logisch. Heutige Arbeitstheorien zeigen jedoch einen etwas komplizierteren Zusammenhang auf. Durch den hohen Kompressionsdruck seines eigenen Gewichtes auf die unteren Eisschichten kommt es zu einer Teilverflüssigung im Sinne erhöhter Plastizität des Eises, die eine Fließbewegung begünstigt, oder überhaupt erst ermöglicht und vorstellbar macht. Weiterhin spielen bei der erreichbaren Geschwindigkeit des Gletscherflusses eine wesentliche Rolle der eingeschlossene oder entstehende Wassergehalt sowie natürlich die vorherrschende Umgebungstemperatur und Dauer der Sonneneinstrahlung.
Daraus ergibt sich, daß die Hauptmasse eines Gletschers auf dessen untersten Lagen entlanggleitet, wobei aus verständlichen Gründen, ähnlich den Bedingungen eines Flusses, die Fließgeschwindigkeit in der Mitte desselben höher ist als am Rande und an der Oberfläche größer als in der Tiefe. Durch die hierbei entstehenden Spannungen innerhalb des spröden Eisverbundes sowie infolge seines durch die Gelände-Topographie erzwungenen oft windungsreichen und durch Felsstufen abrupt geänderten Laufes, entstehen tiefe Einrisse, Abbrüche, Spalten und Eiskaskaden. Besonders bei durchstrahlender, schrägstehender Sonne führt dies zu einem blaugrünen Irisieren, das die Riesenkristalle in den furchterregenden Gletscherklüfte mit magischem Leuchten erfüllt.
Dieses herrliche Naturschauspiel ist an vielen der weit in die Täler hinabreichenden Gletscherzungen zu beobachten, die von den Parkplätzen des Icefields Parkway aus bequem erreicht werden können.

Die Naturparks

Das Wort »Park« ist im Englischen, wohin es aus mittellateinischem Ursprung gekommen ist, wie auch in der deutschen Sprache, ein mehrdeutiger Begriff geworden.
Ursprünglich verstand man darunter ein Naturgebiet, welches von der landwirtschaftlichen oder forstlichen Nutzung ausgenommen war, um in besonderer Weise gepflegt und verwendet zu werden, in der Regel zum Vorteil eines elitären und dazu besonders legitimierten Personenkreises.
Vorwiegend die Fürsten und Landesherren weltlicher oder klerikaler Oberhoheit ließen zu ihrer Erbauung weiträumige Landschaftsgärten einrichten oder geeignete Areale für ihre jagdlichen Lustbarkeiten vorbehalten.
Die Natur und ihre Tierwelt dienten so in weiten Bereichen vorwiegend dem Lebensgenuß einer privilegierten Minderheit, die damit auch über den Fortbestand vieler Tier- und Pflanzenarten nach eigenem Ermessen verfügen konnte.
Die Folgen waren aus heutiger Sicht schlichtweg verheerend. Viele Tierarten erlitten in jenen Jahrhunderten als Konsequenz modischer Vorstellungszwänge und gedankenlosen Imponiergehabes empfindlichste Verluste, auch in anderen Erdteilen, die bis heute nicht wieder gutgemacht werden konnten und auch keine kurzfristige Hoffnung darauf zulassen.
So wurden schon im vorigen Jahrhundert in Europa außer Reh und Hirsch alle Großtiere, ob Säuger oder Vögel, praktisch endgültig ausgerottet. Der letzte Bär wurde 1835 in Bayern erlegt, während der Adler schon bald nach Erfindung des Schießzeugs exterminiert war, um heute nur noch als kümmerlich abstrahierte Symbolfigur für Macht, Geld und staatliche Souveränität weiterzuleben.
Amerika hatte es auch hier besser. Einerseits, weil dort die rücksichtslosen Zerstörungen der sogenannten menschlichen Zivilisation erst nach der

Mitte des zweiten Jahrtausends zögernd einsetzten, zum anderen, weil man dort, wenn auch spät, so doch mit raschen Konsequenzen, rechtzeitig erkannte, welcher globalbiologische Stellenwert allgemeinem Naturschutz zukommt. Inzwischen ist, beinahe in letzter Minute, weltweit zu Bewußtsein gekommen, daß die Überlebenschance des Menschen auf diesem von Selbstzerstörung bedrohten Planeten, der, selbst ein hochdifferenzierter Organismus, durch Übervölkerung, Verschmutzung, radikale Ausbeutung seiner begrenzten Ressourcen, Verbrauch und Vergiftung des Grundwassers und der Atmosphäre, schon heute auf kurze Zeitspannen als höchst gefährdet angesehen werden muß (»Die Welt hat Krebs – und der Krebs ist der Mensch« / Club of Rome – A. Gregg).
Bereits im Jahre 1872 wurde in den Vereinigten Staaten von Amerika der erste Nationalpark, damit der erste der Welt, eingerichtet. Dabei erhielten rigorose naturschützerische Prinzipien Gesetzeskraft, die in den folgenden Jahrzehnten weltweit als beispielhaft anerkannt wurden.
Zunächst in Kanada und später in vielen anderen Ländern aller Erdteile, wurden diese Bestimmungen zum Teil buchstabengetreu übernommen und zur Anwendung gebracht.
Auch in den konstitutionellen Demokratien und fürstlich regierten Ländern gelang es schließlich, historische Grundsätze und Rechtsbräuche zum Vorteil der Allgemeinheit zu ändern. Privilegien wurden in zunehmendem Maße aufgegeben oder per Legislative für immer abgeschafft. Heute gilt allgemein die befreiende und arterhaltende Überzeugung, daß die Schönheiten, Wunder und Schätze der Natur »zum Wohle aller und kommender Generationen, deren Erbauung, Erholung, Fortbildung und Freude . . .« zu bewahren und zu pflegen seien. Der schöne Gedanke hat sich über ein Jahrhundert wirksam fortgesetzt. Neue Parks wurden geschaffen, nicht nur in der Neuen Welt, die das Beispiel rechtzeitig gab. Das Wort »Park« hatte eine neue, bessere Bedeutung bekommen.
Nur wenige Jahrhunderte Menschheitsgeschichte und dennoch ein für Mensch und Natur hoffentlich existenzrettendes Umdenken, das freilich mit noch zwingenderen Konsequenzen in die Zukunft weitergeführt werden muß, soll dieser schöne Planet überleben können.
Mit Befriedigung kann heute festgestellt werden, daß der Begriff Naturschutz endgültig in das öffentliche Bewußtsein fast aller Völker eingedrungen ist, daß Naturparks in aller Welt zu einem festen Begriff geworden sind, und daß der fortdauernde Schutz, die erhaltende Pflege und die öffentliche Zugänglichkeit der schönsten Landschaften, kostbarsten Ökosysteme und faszinierendsten Naturphänomene dieser Erde als weitgehend gesichert gelten können.

Die Nationalparks

Wie ein riesiges Rückgrat aus Stein, Fels und Gletschereis ziehen sich die Rocky Mountains weit im Westen durch den nordamerikanischen Kontinent in nordsüdlicher Ausdehnung. Dabei markieren sie eine dreieinhalbtausend Kilometer lange Wasserscheide zwischen dem Pazifik im Westen, dem Atlantik im Osten und dem Golf von Mexico im Süden.
Zahllose Hochgebirgsketten, Gletscherrücken und Eisfelder, Urstromtäler, Flüsse, Bergseen und Hochalmen fügen ein gestaltreiches und vielfarbiges Landschaftspuzzle zusammen, dessen weltentfernt alpine Reize jeden Naturliebhaber, Wanderer, Maler oder Fotografen ein Leben lang faszinieren, dessen dramatische Horizonte zu stets neuen Abenteuern locken. Permanente Sehnsucht

nach einer vergegenständlichten Traumwelt, großartige Verheißung unendlicher Einsamkeit, unmittelbare Auseinandersetzung mit den unkalkulierbaren Mächten einer ungezähmten Natur, dies sind die Herausforderungen, an denen jeder Geeignete seinen Empfindungsreichtum wie seinen Mut erproben kann.

Banff Nationalpark und *Jasper Nationalpark* sind durch eine großzügig trassierte Fernstraße erschlossen und miteinander verbunden, den 59 Kilometer nördlich von Banff beginnenden Icefields Parkway, der nach 230 Kilometern Panoramastrecke in Jasper endet.

An dieser in der Welt einmaligen Aussichtsstraße reihen sich entlang einer Kette von Urstromtälern zu beiden Seiten gleißende Schneegipfel, steilende Felsschroffen, glitzernde Gletscherseen und stürzende Felswände, weiten sich endlos scheinende Waldgebiete, rauschen Wildbäche und spektakuläre Wasserfälle, dräuen finstere Schluchten dicht neben der Fahrbahn.

Die Parks von Banff und Jasper grenzen unweit des Columbia Icefield unmittelbar aneinander, welches von acht Gletschern gebildet wird. Mit 325 Quadratkilometern ist es das größte Eisfeld der Großen Kontinentalen Wasserscheide des Nordens. Drei seiner Gletscher, Athabasca-, Dome- und Stutfield Glacier, sind vom Highway aus beeindruckend einzusehen.

Der *Banff Nationalpark* umfaßt mit 6640 Quadratkilometern vor allem die Gebirgsstöcke Sundance, Palliser, Sawback und Bourgeau, bis 120 Kilometer westlich von Calgary.

Der *Jasper Nationalpark* ist gekennzeichnet von einer fast parallel verlaufenden Gruppe von Gebirgsrücken: Die Miette-, Jacques- und Colin Ranges, mit der Desmet Range im Norden, insgesamt 10878 Quadratkilometer hochalpine Natur.

Der *Yoho Nationalpark*, 1313 Quadratkilometer umfassend, wird gebildet von den Van Horne, Ottertail, Waputik und President Ranges, wobei 28 ihrer Gipfel sich über 3000 Meter emporrecken.

Der *Mount Revelstoke Nationalpark* ist mit 262 Quadratkilometern bewaldeter Hänge, Alpenmatten und Bergseen der kleinste von allen, seine Alpenflora jedoch unvergleichlich.

Der *Glacier Nationalpark* liegt nur ein Dutzend Kilometer östlich der Kleinstadt Revelstoke und umfängt mit seinen 1349 Quadratkilometer mehr als hundert kaum zugängliche Gletscher.

Der *Kootenay Nationalpark* wird eingeschlossen von den Vermilion, Brisco und Mitchell Ranges, insgesamt 1277 Quadratkilometer nördlich der kleinen Bäderstadt Hot Springs.

Der *Waterton Lakes Nationalpark*, 70 Kilometer westlich von Lethbridge, ist der 525 Quadratkilometer große kanadische Teil des Waterton-Glacier International Peace Park, dessen amerikanischer Glacier Nationalpark südlich der Grenze anschließt, beide Parks alpin-malerisch.

Zwei weitere Naturschutzgebiete der Rocky Mountains werden als Provincial Parks von den jeweiligen Landes-/Provinz-Regierungen geführt.

Der ursprüngliche Kananaskis Park, jetzt *Peter Lougheed Provincial Park*, ist ein 508 Quadratkilometer großes Naturrefugium mittelalpinen Charakters zwischen den Spray Mountains und den Opal und Misty Ranges im Südwesten von Alberta.

Der *Mount Robson Provincial Park* wird bestimmt von einem Felsgebirge, das in dem 3954 Meter hohen gleichnamigen Berg gipfelt, der höchsten Erhebung in den kanadischen Rockies. Felsen und Eis.

Das Klima – Mensch und Natur

Kanada – wessen Vorstellung wird bei Erwähnung dieses den nordamerikanischen Kontinent prägenden Erdteils nicht sofort erfüllt von den Begriffen Unberührtheit und Weite, Unermeßlichkeit der Wälder und zahllosen Seen. Die Wirklichkeit dieses unvergleichlichen Landes entspricht tatsächlich auch heute noch vielen dieser Idealvorstellungen, in denen die Menschen der Hochentwicklungsstaaten, von Leistungsdruck und Frust entnervt, sich ein einstens zu ereichendes Refugium der Entspannung und Erbauung in ihre Lebenspläne projizieren.
Unendliche Prärien und Tundren, weiträumige Hügellandschaften, Wildreichtum und fischreiche Flüsse, gleißende Gletscherfelder und mächtige Fjorde, zehntausende von inseldurchsetzten Seen und ungezählte Gebirgsgipfel, ohne Namen und noch nie bestiegen, kennzeichnen Kanada als unerschöpfliches und glückverheißendes Naturliebhaber-Traumziel.
Kanada erstreckt sich südlich etwa des 42. Breitengrades in den Provinzen Nova Scotia und Ontario im Osten sowie entlang des 49. Breitengrades vom Südwesten Ontarios bis zum Pazifik, hoch zum Norden hinauf in die arktischen Regionen jenseits des 83. Breitenkreises bis auf 750 Kilometer an den Nordpol heran, rund 4650 Kilometer von seiner südlichen Grenze.
Aber nicht nur seine nordsüdliche Ausdehnung bestimmen über die klimatischen Faktoren den Charakter, die Ökologie und zivilisatorische Erschließbarkeit dieses Subkontinents, sondern beinahe noch mehr dessen unermeßliche Weite in ostwestlicher Richtung, die 90 Längengrade, also ein Viertel des Erdumfanges ausmacht.
Da auf rund 10 Millionen Quadratkilometer Landfläche augenblicklich erst knapp 26 Millionen Einwohner leben, zählt Kanada zu den am schwächsten besiedelten Ländern der Welt, womit es unbegrenzte Aufnahmefähigkeit und Entwicklungsmöglichkeiten darzustellen scheint.
Ein jeder schnellen zivilisatorischen Entwicklung hinderlicher und letztlich limitierender Faktor jedoch ist die mögliche Anpassungsfähigkeit des Menschen an die in großen Teilen des Landes unwirtlichen bis unerträglichen Witterungsbedingungen. Dadurch sind nur etwa sieben Prozent seiner Fläche für den Menschen nutzbar, zwei Drittel aber praktisch völlig unbesiedelt.
Bereits wenige hundert Kilometer nördlich seiner wärmsten Regionen, in denen noch gute Weine angebaut werden können, verläuft schon die Grenze der Kiefern-Arten, was eine deutliche Sprache spricht bezüglich des Gesamtjahresklimas. Die absolute Baumgrenze reicht im Osten bis ins nördliche Quebec herab, während sie in den westlichen Provinzen quer durch die Northwest-Territories verläuft.
Ein ausgesprochenes Kontinentalklima mit langen Wintern und anhaltenden Tiefsttemperaturen kennzeichnet alle Provinzen Kanadas, die nicht in unmittelbarer Nachbarschaft zu den beidseits angrenzenden Weltmeeren liegen. Deshalb lebt die überwiegende Mehrheit der Bevölkerung innerhalb einer 200-Kilometer-Zone entlang der kanadischen Südgrenze.
Die Topographie Kanadas wird bestimmt durch seine Form eines riesigen Beckens, welches in der Mitte von der Hudson Bay vertieft ist, während es östlich und westlich von Gebirgsketten gesäumt wird.
Im Westen erheben sich die zahllosen Gipfelrücken der Rocky Mountains, deren höchster Punkt, der Mount Robson mit 3954 Meter an der Grenze zwischen British Columbia und Alberta liegt. Im Osten verlaufen die Mittelgebirgszüge der Appalachen, die 1500 Meter Höhe an keinem Punkt überschreiten. Der dazwischenliegende

»Kanadische Schild« weitet sich über weite Teile von Saskatchewan, Manitoba, Ontario und Quebec.
Entsprechend der erheblichen westöstlichen Ausdehnung des Landes wurden bereits 1884 durch die World Conference »Standard Time« in Washington D. C. insgesamt sieben Zeitzonen für Kanada festgelegt, die jeweils eine Stunde Zeitunterschied bedeuten und folgende Bezeichnungen, von Ost nach West, tragen: Newfoundland Standard Time (NST = Greenwich ST minus 3½ Std.), Atlantic Standard Time (AST = GST minus 4 Std.), Eastern Standard Time (EST = GST minus 5 Std.), Central Standard Time (CST = GST minus 6 Std.), Mountain Standard Time (MST = GST minus 7 Std.), Pacific Standard Time (PST = GST minus 8 Std.) und Yukon Standard Time (YST = GST minus 9 Std.).
Während der Sommermonate, etwa Ende April bis Ende Oktober, wird in den meisten Provinzen die Sommerzeit (DST = Daylight Savings Time) eingeführt, wie auch in den USA und Europa, so daß in der Regel keine weiteren Zeitdifferenzen beim internationalen Land- und Flugreiseverkehr entstehen.
Die geotopographischen Gegebenheiten Kanadas, seine ungeheuren und abgelegenen Weiten sowie die relativ unwirtlichen Witterungsbedingungen haben, zusammen mit historischen Faktoren, eine durch Besiedlung erschließende Entwicklung jahrhundertelang hintangehalten, was besonders im Vergleich zu benachbarten Staaten der USA deutlich wird. Zusätzlich wurde eine deutliche Sogwirkung auf die frühen Siedler ausgeübt durch die stete Verlockung günstigerer Verhältnisse in Amerika, so daß viele Pioniere der frühen Tage bald nach Süden weiterwanderten, wo der Boden fruchtbarer und die Sonne wärmer war. Aus heutiger Sicht hat diese Entwicklung jedoch eine ganz entschieden positive Seite: Weiteste Teile des Westens, der erst am Ende des letzten Jahrhunderts durch die Eisenbahn seine Anschließung an die östlichen Teile des Kontinents erhielt, blieben dadurch von zivilisatorischer Ausbeutung verschont und bieten sich heute in nahezu völliger Unberührtheit dar, vor allem die landschaftlich großartigsten Areale des Westens, die Rocky Mountains und deren unmittelbare Umgebung. Sie bilden heute und auf absehbare Zeit für den Naturliebhaber, den zivilisationsmüden Urlauber und alle dem Arbeits- und Ferienstreß entfliehen wollenden Touristen ein wahrhaft unerschöpfliches Reservat, in welchem er, selbst in der kurzen Sommersaison, von einer befreienden Weiträumigkeit und Stille der Landschaft umgeben, sich unmittelbar eingebettet fühlen kann in die Entrücktheit und Friedlichkeit einer zeitlos atmenden Natur.
Sucht man nicht nur Einsamkeit und den durch sie möglichen Weg zurück zu sich selbst, sondern auch eine ästhetisch erfüllende, großartige oder gar heroische Landschaft, so bieten sich vor allem die nördlichen Gebirgsregionen der Rocky Mountains an. Sie erstrecken sich in den Provinzen British Columbia und Alberta von Süden nach Norden, um in Alaska in der höchsten Erhebung des Kontinents, dem Mount McKinley (6194 Meter) der Alaska Range, heute auch indianisch wieder »Denali« genannt, zu gipfeln.
Kanadas Rocky Mountains, vor allem die hier näher zu beschreibenden Nationalparks, sind durch in letzter Zeit hervorragend ausgebaute Fernstraßen in ihren westlichen Teilen heute mühelos zugänglich.
Wegen ihrer für europäische Begriffe unermeßlich erscheinenden Ausdehnung wie ihre durch vieltausende von Gipfeln, Schluchten und Tälern zerklüftete Topographie, sind sie jedoch auf historisch absehbare Zeiten selbst für den begeistertsten Alpinisten in einem Lebensalter nicht erschöpfbar.
Schon Ende des letzten Jahrhunderts setzte in der Neuen Welt, beginnend in den Vereinigten Staaten, ein neues Naturbewußtsein mit dem Ziel ein, weiteren zerstörerischen Machenschaften an den schönsten Refugien des Landes entgegenzutreten, wie sie während des transkontinentalen Eisenbahnbaues immer offensichtlicher um sich gegriffen hatten. Erzsucher, Bodenspekulanten und skrupellose Abenteurer versuchten in zunehmender Dreistigkeit, ihren persönlichen Vorteil aus dem sich öffnenden Westen und seinen neuen Ressourcen zu ziehen.
Bald wuchs aber unter den Siedlern dieser Region, informiert durch die Beschreibungen von Fährtenkennern und naturwissenschaftlichen For-

schungsreisenden, die Einsicht, daß den herrlichen Hochgebirgsarealen, aus denen ganzjährig das fruchtbar machende Wasser zu ihren Felder floß, ein absoluter Naturschutzstatus zur Erhaltung für kommende Generationen verliehen werden sollte. Einer schließlich erreichten Gesetzgebung verdankt Kanada wie auch die seither aus aller Welt einströmenden Touristen eine beachtliche Anzahl einzigartiger Nationalparks, Provincial Parks und anderer Naturschutzareale, von denen sich diejenigen der Rocky Moutains mit weiten Abstand als die monumentalsten, vielgestaltigsten und, wegen der guten Zugänglichkeit ihrer Naturwunder, beliebtesten herausheben.
Trotz jährlich steigender Touristenzahlen in den meistbesuchten Gebieten findet man auch in der kurzen Hochsommersaison Wanderpfade, auf denen man nach kurzer Strecke mit sich und der Natur alleine sein kann. Kein Motorenlärm oder plärrende Reisegruppen, wie in den Alpen allgegenwärtig, stören den Frieden. Ruhig und furchtlos ziehen Rudel von Hirschen, äsen langohrige Rehe, putzt sich ein Waschbär im Bergbach, springen Forellen im grünschillernden See.
Ein Seeadler-Paar brütet mit der natürlichen Geduld und Gelassenheit, die eine zeitlose Landschaft auch dem eilfertigen Eindringling schnell aufprägt, ihn sanftmütig einbindend in den ewigen, allumfassenden Zyklus naturhaften Seins und Vergehens.
Aus der Ferne hört man das unregelmäßige Rauschen eines in steilen Klüften verborgenen Wasserfalles, gespeist aus zahlreichen glitzernden Silberfäden und die Felsflanken durchwirkenden Rinnsalen, die aus tief herabhängenden Gletscherzungen talwärts enteilen, wo sie sich in den Urstromtälern zu mäandernden Flüssen vereinen.
Während die Sonne sich in härter werdenden Kontrasten zwischen die Felsschroffen senkt, die gegenüberliegenden Steilwände ihre Färbung langsam von Gelbrot in Purpur wandeln und die eisigen Gipfelzacken rosagleißende Strahlen in den azurnen Himmel sprühen lassen, tritt unvermittelt ein prächtig gesträhnter Coyote aus dem Uferdickicht. Mit neugierig forschendem Blick tritt er dem regungslos verharrenden Wanderer zögerlich entgegen. Es muß wohl der erste Mensch in seinem weiten Revier sein, dessen er hier unerwartet ansichtig wird. Sein Instinkt sagt ihm offenbar, daß hier weder Gefahr droht, noch jagdbares Wild lockt. Denn nach mehrfach sicherndem Wenden, setzt er kopfschüttelnd und mit federndem Schrittmaß seinen Pfad fort, schon bald in der abendlichen Dunstbläue dem Auge entgleitend.
Noch lange danach hört man von ferne sein heißeres »Yap« aus der Wälder schweigender Tiefe, von Felsklüften vielfach gebrochen und im Echo verhallend. Nur der Fluß rauscht unentwegt in der Tiefe, oder ist es der Chor der Wildbäche, Wasserfälle und Kaskaden oder nur Windböen in zerzausten Wipfeln?
Bald nach Sonnenuntergang sinken die tagsüber sommerlich angenehmen Temperaturen rapide dem Gefrierpunkt entgegen. Der nächste Morgen läßt dann mit seinen ersten grellen Strahlen die Millionen Eiskristalle in vielfarbigem Funkentanz erschauern. Im Schutze leichter Bodennebel treten Elche aus dem Niederholz und äsen saftige Wasserpflanzen und Sumpfgräser aus den Flachwasserteichen, die beim Rückzug der Eiszeitgletscher verblieben. Eine besondere Delikatesse ist ihnen jungsprießendes Weidengebüsch, welches in allen Flußniederungen auf die Nähe von Elchgruppen hinweist.
Leider sind diese majestätischen Tiere in den letzten Jahren, wohl infolge des zunehmenden Zivilisationsdruckes, immer weiter nach Norden oder in höhere Bergabgelegenheit ausgewichen, so daß man heute während des Sommer nur noch selten das Glück hat, sie aus der Nähe beobachten zu können.
So kommt es, daß man während der schönsten Jahreszeit diese ohnehin seltener werdenden Tierarten nur noch an einzelnen, dem Kenner bekannten Orten antreffen kann, in den Rocky Mountains vor allem in den verschwiegenen Seitentälern des Kicking Horse-Bereichs, also schwer zugänglichen und nur zeitaufwendig erreichbaren Hochgebirgsarealen.
Die sprichwörtliche stete Zeitnot des von zivilisatorischen Selbstansprüchen gejagten Menschen wirkt sich hier einmal mehr dahin aus, daß eine trotz Naturschutzmaßnahmen zunehmend bedrohte Tierpopulation sich erhalten kann durch Rückzug in Bereiche, die dem artfremden Eindringling lebensfeindlich erscheinen.

Banff Nationalpark

Im Süden der Provinz Alberta liegt der erstgegründete Nationalpark Kanadas, wegen seiner glücklichen Lage im Mittelpunkt mehrerer dort zusammentreffender Täler, seiner besonders charakteristischen Gipfelmassive, seiner heilungversprechenden Thermen und seinem ganzjährig moderaten Reizklima der bekannteste und meistbesuchte Naturpark des Landes.
Bereits 1885, nachdem während des transkontinentalen Eisenbahnbaues von Ost nach West zwei Arbeiter wenige Jahre zuvor zufällig heiße Schwefelquellen am danach benannten Sulphur Mountain entdeckt hatten, wurden von der kanadischen Regierung vier Hektar Land zum Schutze vor Ausbeutung dieser Naturphänomene staatlich übernommen. Zwei Jahre später wurde dieses Gebiet auf 105 Hektar erweitert und zum ersten Nationalpark Kanadas erklärt. Heute umfaßt dies großartige Naturschutzgebiet eine Gesamtfläche von 6641 Quadratkilometer. Sein Name geht zurück auf Banffshire in Schottland, der Heimat von George Steven, dem seinerzeitigen Präsidenten der Canadian Pacific Railway.
Die heutige Kleinstadt Banff, nähert sich 5000 Einwohnern und wächst, obwohl Teil des Naturparks, ständig in Umfang und Zivilisationsanspruch. Tatsächlich ist Banff längst zum verkehrsmäßigen, touristischen und kulturellen Angelpunkt aller Naturschutzareale der kanadischen Rocky Mountains geworden. Viele Erwartungen der verwöhnten Reisenden heutiger Zeit können hier wahlweise befriedigt werden.
Abwechslungsreiche Landschaften laden zu Ausflugstouren in die vielgestaltig mittelalpine Umgebung ein. Zahlreiche weitführende Wanderwege, Fahrradrouten, Sessellifte, Bootstouren auf Seen und Flüssen bieten sich ebenso an wie Luft- und Badekuren. Für die eigentlichen, weil kompromißlosen Naturliebhaber jedoch ist der Ort Banff der ideale Ausstattungs- und Ausgangsort für Touren tief in die herausfordernd wilde Bergeinsamkeit der Rocky Mountain-Massive.
Diese Gebirgsstöcke veranschaulichen fast überall deutlich deren ungewöhnliche geologische Entstehungsgeschichte und werfen für den Laien manche Frage auf, die einer kurzen Erklärung bedürfen, um die oft merkwürdig anmutenden Landschaftsformen verstehen zu können.
Vor mehr als 800 Millionen Jahren entstand im Westen des jetzigen nordamerikanischen Kontinents, damals noch unabgetrennter Teil des Urkontinents Pangäa, eine sich vertiefende Einsenkung, die sich mit Erosionsmaterial der zuführenden Flußläufe schichtweise anfüllte. Die nordsüdliche Ausdehnung derselben in Form einer flachen Binnensees muß mehrere tausend Kilometer betragen haben.
Die kalkhaltigen Reste der über Millionen von Jahren sich darin entwickelnden Meerestiere setzten sich fortlaufend in immer mächtigeren Schichten am Grunde des Seebodens ab, alternierend oder, je nach Zeitraum, untermischt mit Sandlagen, Ton- und Schieferarten.
Nachdem diese Ablagerungen sich in Hunderten Millionen Jahren angehäuft hatten, wodurch infolge hohen Gewichtsdruckes allmählich Verdichtungen zu Felsgestein erfolgte, begann eine gegenteilige Entwicklung.
Vor 75 bis 80 Millionen Jahren ließen ungeheure Kräfte aus dem Erdinnern die Erdkruste sich gewaltig emporheben, wobei die bisher horizontalen Gesteinslagen vielfach gebrochen, verworfen, kurvig geformt und oft bis über die Senkrechte hinaus aufgetürmt wurden.
So entstanden die heutigen Rocky Mountains, wie wir sie in Zentralkanada sehen, während ihre amerikanischen und alaskischen Regionen weitaus stärkeren plutonischen Charakter aufweisen.

Die heute von Banff bis über Jasper hinaus im Norden sichtbaren, oft skurrilen Wellenformen, Brüche und Verfrachtungen der Felsschichten sind also die nach 500 Millionen Jahren wieder zu Tage gekommenen, emporgepreßten Sedimentlagen eines urzeitlichen Meeresbodens.

Die jetzige Landschaftskontur, entstand hingegen erst vor vergleichsweise kurzer erdgeschichtlicher Zeit, während der wahrscheinlich vier großen Eiszeiten der letzten Jahrmillion, deren jüngste vor etwa 10000 Jahren zu Ende ging.

In diesen Glazialperioden bedeckten ausgedehnte und viele hundert Meter mächtige Gletschermassen fast die gesamte Fläche des heutigen Kanada sowie die nördlichsten Regionen der späteren Oststaaten Amerikas.

Durch die jahrtausendelang stetig zu Tal schiebenden Gletschereisströme wurden U-förmige Täler großer Ausdehnung in die Berglandschaft geschürft, enorme Gesteinsmassen aus den anstehenden Felsformationen herausgebrochen und seitlich wie endständig in Form mächtiger Geröllmoränen abgelagert.

Gletschertäler, hochreichend abgerundete Bergkuppen und langgestreckte Schuttkegelformen sind denn auch die unverwechselbaren Kennzeichen dieser kanadischen Regionen, überragt von den zahlreichen zerklüfteten Berggipfeln.

Obwohl auch in den kanadischen Gebirgen wie aus bisher ungeklärten Gründen weltweit die meisten Gletscher stetig unter Abschmelzen zurückweichen, Schneefelder kleiner werden und die Vegetationsgrenzen sich in höhere Lagen verschieben, beeindrucken gerade hier die Vielzahl der Gletscher, ihre oft malerischen Fließformen, eisgrün sonnendurchleuchteten Spalten und Abbrüche, vor allem auch die oft mühelose Zugänglichkeit ihrer unter tosender Kaskadenbildung abschmelzenden Zungen.

Aber nicht nur schwer zugängliche Hochgebirgsareale mit Felstürmen, Karen und vegetationslosen Steinwüsten kennzeichnen die ausgedehnte Topographie des Parks, sondern auch viele liebliche Täler von befreiender Weite, romantische Wanderpfade entlang munteren Flußläufen und gischtenden Wasserfällen, blaugrüne Bergseen in einsamer Abgelegenheit, heitere Alpenmatten mit während des Sommers unvergleichlich reichem Wildblumenflor und märchenhaften Panoramasichten auf Gipfelketten, Gletscherfelder und tiefe Waldschluchten bieten sich den Blicken allenthalben.

Hier kann man, wie kaum sonst noch in der übervölkerten Zivilisationswelt, tage- und wochenlang wandern, zelten, schauen, meditieren, ohne auch nur einem anderen Menschen zu begegnen. Hier kann man die reine Natur atmen hören, ihrer elementaren Melodie versonnen lauschen, sich in ihr wiederfinden. Und mit einem Reichtum an inneren Bildern heimkehren.

Häufige Wechsel zwischen Regengüssen und Aufheiterung lassen ▷ strahlende Regenbogen entstehen. Die Kanadier nennen dies »rainshine«.

Was sehen, was tun?

Bei Einfahrt in den Nationalpark erhält man gegen Gebühr wahlweise einen Tagesaufkleber oder einen Jahresausweis für die Windschutzscheibe, letzterer für alle Parks gültig, sowie ein illustriertes Faltblatt. Trotzdem sollte man unverzüglich auch das in der Banff Street gelegene Information Center von Banff aufsuchen und sich dort mit zusätzlichem Informationsmaterial versehen lassen.
Schon das Städtchen Banff, »Townsite« genannt, bietet reichlich Gelegenheit, sich mit der umgebenden typischen Landschaft vertraut zu machen.
Südöstlich erhebt sich als Wahrzeichen des Ortes der vielgezackte Gipfel des Mount Rundle (2949 Meter), nördlich die Hauptstraße überragend, die mächtigen Steintreppen des Cascade Mountain (2998 Meter), im Süden der Sulphur Mountain (2450 Meter) mit seinen heißen Quellen, nordwestlich lädt eine sechs Kilometer lange aussichtsreiche Bergstraße ein, zur Gondellift-Station des Mount Norquay (2522 Meter) zu fahren, von wo man einen herrlichen Überblick auf die gesamte umliegende Landschaft und das Städtchen im Tal hat.
Weitere lohnende Kurzausflüge auf guten Straßen sind die zehn Kilometer (hin und zurück) zu den malerischen und tierreichen Vermilion Lakes, ein kurzer Abstecher zum Bow River Fall, zum Tunnel Mountain Drive, mit großartigem Blick, vor allem am frühen Morgen oder gegen Abend, auf den gigantischen Klotz des Mount Rundle und die seltsamen »Hoodoos«. Empfehlenswert auch die Besichtigung der Quellen und Bäder am Cave and Basin Drive mit weiterführendem Wanderpfad (1 Stunde) zum Sundance Canyon. Eine zweistündige (14 Kilometer) Rundfahrt zum Lake Minnewanka sollte man erwägen. Dort genießt man einen weiten Blick auf den blaugrünen Bergsee und das von seinen Ufern aufsteigende Massiv des Mount Inglismaldie (2964 Meter). Auch trifft man hier meist einige stattliche Exemplare der sonst eher menschenscheuen Dickhornschafe in fotografisch erreichbarer Nähe.
Von Banff fährt man zunächst in westlicher Richtung, nach sechs Kilometern und Einmündung in den Trans-Canada Highway Richtung Norden erreicht man den dieser Schnellstraße vorzuziehenden Bow Valley Parkway 1A.
Da die Fahrtroute ab Banff durch den hauptsächlich nördlich davon liegenden Park aus vorerwähnten Gründen günstiger ist als jener von Jasper nach Süden, wird im folgenden stets in nordwärts gerichteter Reihenfolge mit Kilometerangaben von Banff Townsite aus auf die besonderen Sehenswürdigkeiten dieser Strecke hingewiesen.
Verläßt man das Stadtzentrum von Banff in nördlicher Richtung erreicht man nach etwa einem Kilometer den Banff Overpass und den Trans-Canada Highway 1. Wenn Sie hier Ihren Tageskilometerzähler auf Null stellen, können Sie die nachfolgend aufgeführten Punkte leicht nach dem Kilometerstand auf Ihrem Tachometer bestimmen.

Kilometer 0: *Banff Overpass*

Kilometer 1,5 bis 3: *Viewpoints Vermilion Lakes.* Oft sieht man Bighorn-Schafe an der Straße entlang dem Fuße des Mount Norquay. Gute Aussicht über die Sumpf-See-

Vom Mount Norquay aus hat man in der Morgenfrühe einen stimmungsvollen Blick auf das verträumte Städtchen Banff und die es überragenden Berge.

Der Mount Rundle im Südosten des Stadtzentrums von Banff wird an seinem Fuß von den Wäldern des Bow River-Tales gesäumt. Im Vordergrund links die Hoodoos. ▷

Der kapitale Elchbulle sichert auch beim Äsen.

Am romantischen Sundance Creek öffnet sich der Blick auf die Gipfelregion des jenseits des Bow River aufsteilenden Mount Norquay. ▷

Wapiti-Hirsche äsen in großer Zahl regelmäßig in den Feuchtbiotopen westlich der Banff Townsite. ▷▷

Eine schon in Pionierzeiten bewährte Landmarke ist der Pilot Mountain, ein 2954 Meter hoher, interessant profilierter Fels.

Aus dem Morgendunst der Vermilion-Seen erhebt sich der Mount Rundle mit seinen charakteristischen Konturen. ▷

Der Vermilion Lake Drive bietet vor allem im Herbst eine stimmungsvolle Szenerie und die Möglichkeit, Elche bei der Äsung zu beobachten. ▷▷

landschaft mit reichem Vogelleben. Im Osten der Mount Rundle (2949 Meter) mit seiner auffälligen Schrägung, rechts davon der Sulphur Mountain (2450 Meter) und die Sundance Range.

Kilometer 6: Geradeaus führt die Trans-Canada 1, eine von Schwerverkehr vielbefahrene Schnellstraße über Lake Louise, wohin man aber bei gleicher Entfernung landschaftlich reizvoller und gemütlicher kommt, wenn man hier auf den *Bow Valley Parkway 1A* rechts abbiegt, dem wir fortan folgen.

Kilometer 9: Der *Backswamp Viewpoint* bietet Ausblick über das Bow River-Tal nach links (Südost) auf die Sundance Range, während sich genau gegenüber der Mount Bourgeau (2931 Meter) hoch erhebt, weiter westlich der Mount Brett (2984 Meter) und Massive Mountain (2435 Meter). Die Vegetation beidseits des Flusses mit Weidengebüsch und Birken ist ein idealer Lebensraum für Elche.

Kilometer 18: *Hillsdale Meadows Viewpoint* eröffnet den Blick nach Osten auf die vielgezackten Formationen des Mount Ishbel (2877 Meter), dessen Sedimentschichten in eindrucksvoller Weise fast bis zur Senkrechten verworfen sind, so daß sie von Geologen ihrer Form wegen Sägezahn-Berge genannt werden.
Die Espen der näheren Umgebung zeigen bis zweieinhalb Meter Höhe starken Abfraß der Rinde, einer bevorzugten Winternahrung der zahlreichen Hirsche.

Kilometer 24: *Johnston Canyon.* Tankstelle und Lodge mit kleinem Lebensmittelgeschäft. Ausgangspunkt des Wanderweges in den idyllischen Johnston Canyon mit den Unteren Fällen (Lower Falls, 1,2 Kilometer), und den Oberen Fällen (Upper Falls, 2,8 Kilometer) sowie den hübsch blauen Ink Spots (6 Kilometer Distanz, jeweils einfach).
Vom Parkplatz aus eindrucksvoller Blick auf die dolomitische Stufenpyramide des Pilot Mountain (2953 Meter), einer bewährten Landmarke der Pionierzeit.

Kilometer 30: *Castle Junction.* Von hier aus überschreitet eine Querverbindungsstraße Tal und Bow River, um nach einem Kilometer in die Trans-Canada 1 zu münden, etwa auf halber Entferung zwischen Banff und Lake Louise Village. Wir folgen nunmehr dem Highway 1, da die noch in Ausbau befindliche nördliche Fortführung des Bow Valley Parkway 1A etwa 15 Kilometer lang schnurgerade durch beidseits sichtbegrenzenden Wald führt, also Ausblicke in die recht abwechslungsreiche Landschaft verhindert.
Von beiden Talseiten der Castle Junction bieten sich hervorragende Ausblicke auf einen der imposantesten Gebirgsstöcke des Parks, den Castle Mountain (2766 Meter) und seinen prominenten Südpfeiler, den Mount Eisenhower.
Das Massiv besteht aus einer 200 Millionen Jahre alten Felsbasis, die durch Verwerfung der Erdkruste entlang einer mehrere hundert Kilometer weit nordsüdlich verlaufenden Falte von 400 bis 600 Millionen Jahre altem Sedimentgestein überschichtet wurde. »Castle Mountain Fault« genannt, ist diese Geosynklinale von gigantischem Ausmaß und geologischer Anschaulichkeit.
An der Castle Junction gibt es Tankstelle, Restaurant und einen Lebensmittelladen sowie Chalets, die man im Sommer mieten kann. Die kleine Ortschaft

Von der Castle Junction aus in südöstlicher Richtung erkennt man in der Ferne den 2877 Meter hohen Mount Ishbel der Sawtooth Range. Im Vordergrund der Bow River.

◁◁ Über den Hillsdale Meadows stehen die verworfenen Gipfelzüge des Mount Ishbel.

Kilometer 56:

Lake Louise liegt weitere 26 Kilometer nördlich entlang dem Highway 1 zu beiden Seiten des Bow River. Hier finden sich gute Unterkunft in mehreren neuerbauten Hotels, Tankstellen, Supermärkte und ein Postamt. Etwa einen Kilometer weiter südlich sind zwei Campingplätze angelegt, ein vollversorgter Trailer-Park mit 163 Stellplätzen inklusive aller Anschlüsse sowie ein vorwiegend für Zelte vorgesehener Platz mit 220 »sites«. Auch eine Frischwasser-Füllstation und eine »dump station« zum Entleeren der Abwassertanks von Reisemobilen ist vorhanden.

Von Lake Louise Village führen zwei Stichstraßen zu Sehenswürdigkeiten, die man auch bei Zeitknappheit nicht übergehen sollte. Beide Straßen dürfen wegen ihrer Steilheit und den engen Windungen nicht mit Wohnanhängern befahren werden. Es steht unmittelbar vor den Campgrounds ein freier Platz für die abgekoppelten Fahrzeuge zur Verfügung.
Den berühmten *Lake Louise* (1731 Meter) erreicht man nach sechs Kilometern steiler Auffahrt. Der Endparkplatz ist meist bereits am späten Vormittag gut gefüllt. Ein riesiges Hotel (»CPR Chateau«) sorgt überdies für reichlichen Publikumsbetrieb, so daß unbeeinträchtigter Genuß der grandiosen Gebirgskulisse um den blaugrün leuchtenden See nur schwer zu erreichen ist. Trotzdem sollte man, möglichst vormittags, den hübschen Seeuferweg wenigstens ein bis zwei Kilometer entlanggehen.
Der *Moraine Lake*, welcher den Lake Louise durch seine einmalige landschaftliche Schönheit weit übertrifft, liegt, über eine 13 Kilometer lange Abzweigstraße erreichbar, in rund 1750 Meter Höhe und wilder Bergeinsamkeit. Der gletschergrüne See ist von zehn steil aufragenden Felsgipfeln gesäumt, die das leicht gebogene »Valley-of-the-Ten Peaks« bilden.
Den weitaus besten Blick auf dieses weltweit wohl unvergleichliche Panorama hat man von einem Felsschutthügel hundert Meter südlich des Parkplatzes, zu dem ein Pfad führt. Es gibt in dieser Gegend viele Murmeltiere (Hoary Marmots), Pikas und an den Karen oft weiße Mountain Goats. Am frühen Morgen oder gegen Abend ist die Stimmung am Moraine Lake am imposantesten. Dieser fabelhafte Blick ist übrigens auf der kanadischen Zwanzig-Dollar-Note abgebildet. Öffentliches Trinkwasser gibt es nicht, aber einen Souvenir-Shop mit Snacks und einige Chalets. Übernacht-Parken oder Campen ist verboten.
Empfehlenswerte Kurzwanderwege führen südlich zu den Consolation Lakes (3 Kilometer, bequem) und, stetig steigend, zum alpenflor-geschmückten Larch Valley (2,5 Kilometer). Auf der Nordwestseite des Sees verläuft ein mühelos zu begehender Waldrandpfad mit vielen prächtigen Ausblicken auf See und Gebirgsstöcke mit Gletscherabbrüchen.

Jenseits des kristallklaren Bow River erhebt sich im Osten das gewaltige Felsmassiv des 2766 Meter hohen Castle Mountain, dessen südlicher Pfeiler Mount Eisenhower benannt wurde. ▷

Am östlichen Eingang des Valley of the Ten Peaks steht der 3104 Meter hohe Mount Babel, einer der schönsten Felsgipfel des Parks. ▷▷

Der Wenkchemna-Gletscher endet hoch oberhalb des Seespiegels
am westlichen Ende des Moraine Lake.

◁ Die düsteren und erhabenen Steilwände
der Ten Peaks spiegeln sich
im herbstlichen Moraine Lake.

Der Moraine Lake und die Gipfel der ihn säumenden Bergkegel ▷
des Valley of the Ten Peaks gehören zu den großartigsten alpinen
Panoramen der Welt.

Die Weiterfahrt führt zurück ins Bow River Valley und über Lake Louise Village. Nach etwa zwei Kilometern kommt man an die wichtige Kreuzung des Trans-Canada Highway 1 mit dem Highway 93 Nord, dem
Icefields Parkway. Dieser ist das eigentliche Kernstück jeden Besuches der kanadischen Rocky Mountains und in der Großartigkeit der ihn umgebenden Landschaft gewiß ohne Vergleich in der Welt.
Er verläuft von Lake Louise aus in vorwiegend nördlicher Richtung, parallel zur wenig westlich davon verlaufenden Great Continental Divide mit ihrer Kette imposanter Hochgebirgsgipfel, über 230 Kilometer bis zum Städtchen Jasper im gleichnamigen Nationalpark, den der Icefields Parkway auf etwa halber Strecke erreicht.
Gut ausgebaut wird diese alpine Aussichtsstraße zunächst das Bow River Valley aufwärts geführt, erreicht nach rund 40 Kilometern den Bow Paß (2069 Meter), um von der Höhe des Peyto Lake aus nunmehr dem Mistaya River zu folgen. Nach Abzweigung der östlich führenden Straße Alberta 11 in Richtung Red Deer (260 Kilometer), dem David Thompson Highway, einer weiträumigen Gebirgsszenerie, wo die Flüsse Mistaya- und Howse River in den North Saskatchewan River münden, steigt der Icefields Parkway, stetig den House River begleitend, in immer dramatischere Gipfelregionen an, um kurz vor Erreichen der Grenze des Jasper Nationalparks mit dem Sunwapta Paß (2035 Meter) seine zweithöchste Erhebung zu überschreiten.
Da sich diese Bergstraße fast auf ihrer gesamten Länge in ehemaligen Urstromtälern der großen Eiszeiten entlangzieht, ist sie nicht nur zu beiden Seiten von zahlreichen vergletscherten Bergmassiven begleitet, sondern auch von je nach Höhenlage und zunehmender nördlicher Breite unterschiedlicher Landschaftscharakteristik, Vegetationsformen und spezifischen Reizen der mäandernden Flüsse. Eine Anzahl malerischer Seen, meist durch Endmoränen der Glazialperioden gebildet, verleihen, wie eingestreute Smaragde, der herben Landschaft besonderen Reiz.

Vom 1731 Meter hoch gelegenen malerischen Lake Louise aus hat man einen grandiosen Blick auf die gletschergekrönten Gipfelregionen des Mount Victoria (3464 Meter), des Fairview Mountain (2744 Meter) und des Mount Lefroy (3423 Meter). ▷

Von Süden nach Norden fahrend, sollten Sie an der Straßenkreuzung bei Lake Louise Ihren Tageskilometerzähler wiederum auf Null stellen. Dann können Sie mühelos Ihr Augenmerk auf folgende Punkte richten:

Kilometer 1: Anschauliche Information über den gesamten Straßenverlauf sowie die geologische und historische Entstehungsgeschichte seiner Landschaft erhält der Besucher bei einem sogenannten »Interpretive Exhibit«.

Kilometer 3: *Herbert Lake Picnic Site*. Hübscher Blick über den gleichnamigen See auf den prächtigen, eisgekrönten Mount Temple (3547 Meter), dem dritthöchsten Gipfel des gesamten Parkes sowie rechts davon den Mount St. Piran (2649 Meter) und den Mount Niblock (2976 Meter).

Kilometer 16: *Hector Lake Viewpoint*. Einziger guter Überblick über See und Pulpit Peak (2725 Meter). Ausgangspunkt eines Wanderpfades zum Seeufer, der jedoch kaum lohnend ist, da der eiskalte Bow River durchwatet werden muß.

Mit 3544 Meter ist der Mount Temple der höchste Gipfel der Bow Range, dritthöchster des Parks und zudem einer der imponierendsten. ▷

Wapiti-Hirsche finden reichlich Äsung in den sommerlichen Tälern.

Vom idyllischen Herbert Lake aus öffnet sich ein reizvoller Blick auf die Bow Range und den Mount Temple. ▷

Kilometer 24: *Mosquito Creek Campground.* Hübsch am munteren Bergbach gelegen, 24 Plätze. Wasser muß vor Genuß abgekocht werden!

Kilometer 33: *Crowfoot Glacier Viewpoint.* Eindrucksvoller Blick auf den Gletscher, dessen früher drei (heute zwei) herabreichende Arme einem Krähenfuß ähnelten. Deutliches Beispiel des Zurückweichens der Gletscherzungen während der letzten Jahrzehnte.

Kilometer 34: *Bow Lake Picnic Site* und Ausblickspunkt.

◁ Der Crowfoot Glacier glich mit früher drei Ausläufern einem Krähenfuß, wodurch sein Name entstand.

△ Innerhalb von Minuten kann das Wetter auch im Sommer völlig wechseln.

▽ Am Mosquito Creek liegt ein aussichtsreicher Campingplatz.

Kilometer 36: Zufahrt zur Num-ti-jah Lodge, von wo aus sich der Bow Lake und die umliegenden Berge besonders schön präsentieren. Seeufer-Spaziergang empfohlen. Der weitab der Straße liegende Bow-Gletscher ist von hier aus gut einsehbar. Die über einen fünf Kilometer langen Weg erreichbaren Bow Glacier Falls dürften für die wenigsten zeitlich einplanbar sein.

Kilometer 40: *Bow Summit (Paß 2069 Meter).* Nach einem Kilometer erreicht man den Parkplatz, einen der schönsten Aussichtspunkte der Straße; von hier aus geht der Blick hinab auf den Peyto Lake, in den die Schmelzwasser des Peyto Glacier, eines Teils des Wapta Icefield, deltaförmig einfließen. Gegenüber die mächtige Wand des Mistaya Mountain (3078 Meter). Frühmorgens und am späten Nachmittag herrlicher Blick entlang dem nördlich sich gipfelreich ausbreitenden Mistaya River-Tal. »Mistaya« ist das Wort der Cree-Indianer für Grizzly-Bär.

Kilometer 56: *Waterfowl Lakes Viewpoint.* Gegenüber die eindrucksvollen Pyramiden des Mount Chephren (3266 Meter), links davon Howse Peak (3290 Meter). Die feuchten Niederungen der breiten Talsohle mit Weidengestrüpp und zwergwüchsigen Espen versprechen, daß man hier möglicherweise Elche zu sehen bekommt, deren Vorzugsnahrung dies ist. Beste Beobachtungszeit sind Morgen- und Abenddämmerung.

Kilometer 58: *Waterfowl Campground* mit 80 Stellplätzen. Trinkwasser abkochen!

Kilometer 71: *Mistaya Canyon.* Ein 15minütiger (300 Meter) bequemer Weg führt zu dem recht beachtlichen Canyon, wo der Mistaya durch eng verwinkelte Kalksteinschluchten über Kaskaden in die Tiefe stürzt.

Kilometer 76: Kurz nach dem tiefsten Punkt der nach Norden zu einer Brücke über den North Saskatchewan River führenden Straße befindet sich linkerhand eine schmale Parkausbuchtung. Hinter dem angrenzenden Wäldchen, wohin ein befestigter Fußpfad führt, hat man einen weiten Überblick auf die hier zusammentreffenden Täler und Bergmassive des Howse River, North Saskatchewan River und Mistaya River.

Kilometer 77: Abzweigung des David Thompson Highway 11 East (ostwärts). Tankstelle, Snacks, Motel, Telefon. Wir folgen weiter dem Icefields Parkway 93 Nord.

Kilometer 88: *Rampart Creek Campground* mit 50 Stellplätzen. Hübsch gelegen, selten überfüllt. »Boil drinking water« – Trinkwasser abkochen!

◁ Westlich des gletschergespeisten Bow Lake stehen die Berggipfel des Portal Peak (2911 Meter) und des Mount Thompson (3084 Meter).

Wie ein weißer Vogel breitet sich der Snowbird Glacier über den Mt. Patterson (3197 Meter). ▷

Oberhalb des 1860 Meter hoch gelegenen Peyto-Sees bietet sich ein weiter Blick auf das obere Mistaya River Valley, den 3197 Meter hohen Mount Patterson, links, sowie die dem Tal östlich anliegenden Gipfelketten der Dreitausender Mount Noyes und Mount Weed. ▷▷

Urstromtäler wandeln sich auch heute laufend.

Von den Jahrhunderten gebleicht, überdauern Baumruinen die Zeit. ▷

In täglich sich ändernden Mäandern fließt das Schmelzwasser des Peyto-Gletschers in den 1860 Meter hoch liegenden Peyto Lake. ▷▷

Der Mount Amery (3335 Meter) steht dicht am Urstromtal des North Sakatchewan River. ▷▷

Der Geröllstrom des Mistaya River ändert sich je nach dem Wetter fast täglich.

◁◁ In stolzer Herausforderung sichert der Dickhornschaf-Bock.

◁ Westlich des Mistaya Lake markieren die Gipfel von Aries Peak, Ebon Peak, Breaker Mountain und Mount Patterson die hier über dreitausend Meter hohe Kontinentale Wasserscheide.

Weißblühende Zwergheide gedeiht besonders in über 2000 Meter Höhe.

Der Howse Peak und der Mount Chephren gehören zu den interessantesten Dreitausendern des Mistaya-Tales. ▷

Kilometer 90:	Bester Aussichtspunkt auf die monumentalen Berge Mount Amery (3335 Meter) und, nördlich davon, Mount Saskatchewan (3342 Meter).
Kilometer 93:	*Graveyard Flats*. Hier mündet der Alexandra River, geröllbeladen vom gleichnamigen Gletscher, in den weit mäandernden North Saskatchewan River, dessen Flußbett an dieser Stelle am breitesten ist und die einstige Mächtigkeit des einstmaligen Gletschers veranschaulicht.
Kilometer 94:	Im Nordosten zeigen sich am Horizont die *Castelets*, mehrere aufragende Felsgruppen, die romantischen Schloßruinen am Rhein nicht unähnlich scheinen.
Kilometer 103:	*Cirrus Mountain Campground*. Nur 16 Stellplätze, davon keiner horizontal genug, ein Reisemobil so zu parken, daß der propangasbetriebene Kühlschrank ohne Schaden funktionieren kann. Trinkwasser muß abgekocht werden!
Kilometer 104:	*Cirrus Mountain Viewpoint*. Direkt am Rande der Fernstraße ragt 600 Meter hoch die nackte Kalksteinwand des 3267 Meter hohen Berges empor.
Kilometer 105:	*Weeping Wall*. Vom links der Straße gelegenen Parkplatz schaut man auf die östlich der Straße liegende Felsformation, aus der sich im Sommer zahlreiche Schmelzwasserbäche mehrere hundert Meter tief hinabstürzen. Fotografieren ist nur nachmittags erfolgversprechend.
Kilometer 110:	*Nigel Creek Viewpoint*. Tiefe Schlucht mit Wasserfällen. Großartiger Rückblick auf einen der monumentalsten Teile des North Saskatchewan-Tales, mit canyonartigen Einbuchtungen, Steilabfällen und Bergriesen, vor allem südöstlich (links) der urige Cirrus Mountain.
Kilometer 111:	*Big Bend*. Steiler Anstieg des Highway um 425 Höhenmeter bis zum Sunwapta Paß.
Kilometer 113:	*Panther Falls Viewpoint*. Kurzer Fußpfad zu den in mehreren Stufen herabstürzenden Wasserfällen.
Kilometer 114:	*Nigel Peak Viewpoint*. Blick zum Nigel Peak (3211 Meter).
Kilometer 119:	*Hilda Creek Viewpoint*. Der hornartige Bergkegel des Hilda Peak wurde von mehreren Gletschern an seinen Flanken geformt.
Kilometer 122:	*Sunwapta Paß*. Diese 2035 Meter hohe Wasserscheide stellt gleichzeitig die Grenze zwischen den Banff und Jasper Nationalparks dar.
Anschrift	Superintendent Banff National Park Banff, Alberta TOL OCO, Canada Telefon: (403) 762-3324

Am Mistaya Canyon sieht man, daß sich der Fluß tief in den Grundfels eingefurcht hat und mitgeführtes Geröll rundliche Aushöhlungen schuf. ▷

Ein weiter Überblick bietet sich nördlich des Zusammentritts der Täler von Mistaya River, Howse River und North Saskatchewan River. Im südlichen Mistaya-Tal erkennt man von links den Mount Chephren (3266 Meter), die White Pyramid, die Kauffmann Peaks (3094 Meter und 3109 Meter) und rechts den Mount Sarbach (3127 Meter).

Nur kurze Blütezeit verbleibt den Pflanzen der hohen Tundraregionen.

Jasper Nationalpark

Der Jasper Nationalpark, in der kanadischen Provinz Alberta gelegen, schließt sich dem Banff Nationalpark in nordwestlicher Verlängerung an. Im Westen wird er von der Great Western Divide, der Großen Wasserscheide zwischen Pazifik und Atlantik begrenzt.
Das Naturschutzgebiet zeichnet sich vor allem aus durch seine unvergleichlichen alpinen Bergszenerien, monumentalen Gebirgsmassive, Felsformationen und Gletscherfelder, die beidseits der Flüsse Sunwapta und Athabasca die ausgedehnten Urstromtäler säumen.
Der Liebhaber nordischer Landschaftscharaktere wird hier, wie kaum anderswo, seine höchsten Erwartungen befriedigt finden, soweit gelegentliche, aber stets mögliche Wetterunbill dies nicht beeinträchtigt.
Die geologische Entstehungsgeschichte des Jasper Parkes ist weitestgehend mit der des Banff Nationalparkes identisch, weshalb der geneigte Leser dort nachschlagen möge.
Die frühe Besiedlung dieses Gebietes ist für beide Schutzgebiete ebenfalls nahezu gleich. Auch im Jasper-Areal, mit 10878 Quadratkilometern der größte aller kanadischen Rocky Mountain-Parks, fanden sich archäologische Hinweise dafür, daß die Ureinwohner bald nach der letzten Eiszeit der Jagd nachgegangen sind, in Quarzbrüchen Material für Werkzeuge und Pfeilspitzen »abbauten« und Camps anlegten. Hinweise auf längere Zeit bestehende Siedlungen hingegen fanden sich nicht.
Erst im 18. und 19. Jahrhundert rückte die rauhe Landschaft wieder ins menschliche Bewußtsein, als zunächst Pelztierjäger, nachziehende Handelsgesellschaften, Goldsucher und Abenteurer, später auch Naturforscher und Wissenschaftler sich für sie zu interessieren begannen.
Die große treibende Kraft des 19. Jahrhunderts waren jedoch die Eisenbahngesellschaften, die eine Ost-West-Verbindung herstellen wollten, wobei die ähnlich einer Barrikade querliegenden Rocky Mountains überwunden werden mußten.
Während der 1858 entdeckte Kicking Horse Paß rasch zu einer Hauptverkehrsader über die Rockies wurde, hatte für Jasper, rund 250 Kilometer nördlich davon gelegen, eine 1131 Meter hohe Einsenkung zwischen den Bergmassiven nordwestlich der Siedlung, die als »Yellowhead Paß« von Goldsuchern erstmalig 1860 genutzt wurde, eine weitaus größere Bedeutung, als zunächst angenommen.
Im ersten Jahrzehnt des 19. Jahrhunderts hatte der Pelztierjäger William Henry einen primitiven Handelsposten im Bereich des späteren Jasper eingerichtet, benannt nach seinem Nachfolger, dem Fallensteller Jasper Hawes. Dieser etablierte sich mit nachhaltigerem Geschick, als sowohl der Athabasca Paß wie in zunehmendem Maße der Yellowhead Paß von Regierungstruppen, Händlern der großen Fellhandelsgesellschaften, Prospektoren, Forschungsreisenden und Missionaren benutzt wurden.
Kein Wunder, daß sich die Kunde von den Naturschönheiten des Athabasca-Tales und dessen Gebirgsketten bald verbreitete.
1898 wurde das Columbia-Eisfeld entdeckt, die größte Gletschermasse des Kontinents außerhalb Alaskas.
Als die Konstruktion einer Eisenbahnlinie, in westlicher Richtung von Edmonton durch das Athabasca Valley heranführend, der Wirklichkeit näher rückte, um bald den Yellowhead Paß als

Die Ostseite des 3444 Meter hohen Mount Andromeda. ▷

Neuschnee am Sunwapta Paß markiert die Sedimentlagen des Gebirges besonders.

zweite transkontinentale Strecke zu überschreiten, was erst 1915 gelang, entschloß sich die kanadische Regierung im Jahre 1907, den Jasper Nationalpark zu gründen und weite Gebiete dieser einmaligen Gebirgslandschaften unter Naturschutz zu stellen.
1930 wurden per Gesetz die Grenzen der Nationalparks Banff und Jasper endgültig vom Parlament festgelegt und beide Gebiete durch eine Straße, den weltweit beispielhaften Banff-Jasper Highway, 1931-1940 trassiert und vollendet, heute Icefields Parkway genannt, in idealer Weise verbunden.
Das heutige Städtchen Jasper ist ein wichtiger Knotenpunkt für Schiene und Straße. Handel und Verkehr werden besonders durch den steten Touristenstrom gefördert, der auch während der kalten Monate durch den Wintersport die über 3000 Einwohner von Jasper ernährt.
Zu allen Jahreszeiten bieten sich reiche Entfaltungsmöglichkeiten für den aktiven Naturliebhaber, seien es ausgedehnte Bergwanderungen auf den zahlreichen Naturpfaden, die den Park in einer Gesamtlänge von 950 Kilometern durchziehen, oder Kurzausflüge mit dem Wagen oder geliehenen Fahrrad in die abwechslungsreiche Umgebung der Stadt, in deren Umfeld viele Seen locken. Auch Reitausflüge mit Pferden, die aus mehreren »Corrals« zu entleihen sind, mit oder ohne Begleitung durch einen ortskundigen Pferdeführer (wrangler), sind eine durchaus zu empfehlende Weise, Kanada-typische Eindrücke zu gewinnen.

Was sehen, was tun?

Die Mehrzahl der Reisenden gelangt aus östlicher Richtung von Edmonton zum Jasper Nationalpark um dann nach Süden weiterzufahren und weitere Parks zu besuchen.
Demgegenüber sei hier ausdrücklich empfohlen, in entgegengesetzter Richtung zu planen, nämlich über Calgary-Banff in nördlicher Richtung zu fahren. Dies hat zum einen den erheblichen Vorteil, stets mit der Sonne im Rücken zu fahren sowie filmen und fotografieren zu können. Auch kann die Landschaft in zunehmender Großartigkeit erlebt werden, weil sich ihre Eindrücklichkeit in nördlicher Richtung stetig steigert.
Obwohl der Routenverlauf im Banff Nationalpark entlang dem Bow Valley und Icefields Parkway in süd-nördlicher Richtung bereits beschrieben wurde, soll hier trotzdem, um jedem entgegenzukommen, der nördliche Teil des Icefields Parkway von Jasper aus in südlicher Richtung dargestellt werden. Ausgangspunkt »Null Kilometer« ist Jasper Townsite.
Zunächst aber ein Blick in die unmittelbare Umgebung von Jasper, welches recht reizvoll in einem weiten Talkessel aus alten Urstromzeiten liegt, nahe der Mündung des Miette River in den Athabasca River. Obgleich Jasper von den beachtlichen Dolomit-Gipfeln des Pyramid Mountain (2766 Meter), The Whistler (2464 Meter) und dem Roche Bonhomme im Norden (2495 Meter) malerisch eingerahmt ist, will doch ein wirklich alpiner Eindruck nicht aufkommen. Dafür ist das Tal zu weit. Einige empfehlenswerte Unternehmungen in der näheren Umgebung sind jedoch auch die etwas weitere Anfahrt wert.
Der *Pyramid Lake Drive* ist eine 8 Kilometer-Tour zu den gleichnamigen Seen am Fuße des Pyramid Mountain, der sich bei Windstille herrlich im Wasser spiegelt. Der See ist teilweise umfahrbar wie auch der unmittelbar benachbarte Patricia Lake. Viele Kurzwanderwege führen von beiden aus durch abwechslungsreiche Landschaft.
The Whistler Mountain erreicht man nach 2,5 Kilometern auf dem Highway 94 Süd über eine weiterführende Straße, die nach vier Kilometern an der Bergseilbahn-Station mit einem großen Parkplatz endet. Von hier kann man sich auf 2300 Meter ü. M. befördern lassen, um einen grandiosen Rundblick auf die von interessant geformten Gebirgsmassiven eingerahmten Flußtäler und Seen zu genießen, bei guter Sicht über 100 Kilometer weit, sogar bis zum Mount Robson, dem mit 3954 Meter höchsten Berg der kanadischen Rockies.
Der *Mount Edith Cavell* ist einen Besuch unbedingt wert, denn sein Anblick gehört zum imposantesten, was der gesamte Park zu bieten hat. Von Jasper aus fährt man auf dem Icefields Parkway 93 etwa zwölf Kilometer südlich bis zur Abzweigung der Mount Edith Cavell Road. Von hier windet sich eine 15 Kilometer lange, schmale und kurvenreiche Bergstraße das Astoria-Tal hinauf auf 1800 Meter Höhe, wo ein ausreichend großer Parkplatz besteht. Wohnanhänger müssen vor der Abzweigung, wo genügend Platz verfügbar ist, abgestellt werden.
Am Endparkplatz beginnen mehrere Wanderpfade. Einer erreicht nach 45 Minuten eine hübsche Almwiese und bietet einen sehr guten Überblick auf den majestätischen Berg und seine Gletscher. Der kürzere »trail« ist in Schleifen-

form angelegt und erreicht nach nur 50 Metern Höhenanstieg den Rand des kleinen Sees, in den hinein der herrliche Angel Glacier abbricht, einer der schönsten Gletscher überhaupt.
In überwältigender Steilheit richten sich die Felswände des 3363 Meter hohen Mount Edith Cavell fast senkrecht vor dem Betrachter auf, das Haupt meist von Neuschnee bedeckt, von Wolken gekrönt oder verhüllt. Auf dem Rückweg sollte man sich den 300 Meter langen Weg von der Straße hinab zum grünschillernden Cavell Lake nicht entgehen lassen, der ebenfalls hervorragende Aussicht auf diesen Bergriesen bietet.
Etwas weiter bergab führt für diejenigen, welche wirklich alpin wandern möchten, einer der schönsten – allerdings mit 19 Kilometern auch sehr langen – Wanderwege des Parks in das berühmte Tonquin Valley mit seiner Galerie von herrlichen Bergkegeln.
Man kann auf diesem Pfad über den Maccarib Paß und entlang dem Portal Creek bergab wandern, um sich an der Straße von Jasper zum Marmot Basin vom eigenen Wagen oder von einem Taxi wiederaufnehmen zu lassen. Für diese unvergleichliche Bergtour rechne man zwei bis drei Tage, so daß beispielsweise Zeltausrüstung (alles in Jasper leihbar) unerläßlich ist.
Wem es dabei zu kalt geworden ist, kann sich nach einer 61-Kilometer-Fahrt von Jasper über den Highway 16 Ost, ab Pocahontas auf der Miette Road, in dem 1986 neu eingerichteten Heißquellenbad *Miette Hot Springs* aufwärmen. Das Bad wird von drei Quellen gespeist, deren heißeste 54 Grad Celsius erreicht, die höchste Temperatur in den kanadischen Rockies. Auch die Gesamtschüttung von über einer Million Litern pro Tag ist von ungewöhnlicher Größenordnung.
Auf Hin- und Rückfahrt bieten sich ein Blick auf die recht originellen, klammartigen Punchbowl Falls sowie die kurze Ausfahrt zum Roche Miette Viewpoint mit der Aussicht auf einen 2316 Meter hohen Bergkegel aus 350 Millionen Jahren altem Kalksediment.
Das Beste hebe man sich, soweit das Wetter diese Empfehlung begünstigt, bis zuletzt auf: den *Maligne Lake*.
Von Jasper Townsite aus folge man zunächst dem Yellowhead Highway 16 etwa fünf Kilometer weit östlich, um dort in die Maligne (River) Road einzubiegen. Nach weiteren sechs Kilometern liegen linkerhand Parkplätze für eine Aussichtskanzel, die Übersicht auf das weite Athabasca-Tal und mehrere hübsche Seen bietet. Etwa 500 Meter weiter führt links eine Zufahrt zu den großartigen Kaskaden und tiefen Schluchten des *Maligne Canyon* ab, den man unbedingt hinab bis zur 4. Brücke gesehen haben sollte. Die beste Fotografierzeit ist zwischen 13 und 15 Uhr, da die Klamm stellenweise äußerst schmal und bis über 20 Meter tief ist. Seit 350 Millionen Jahren schneidet sich der Fluß hier in die Palliser-Formation ein. Auf keinen Fall sollte man den vom oberen Ende des Parkplatzes ausgehenden Pfad versäumen, der am wild schäumenden Fluß entlangführt, welcher sich erst stufenweise, dann in mehreren spektakulären Fällen über die Felsklippen stürzt.
Zurück auf der Maligne Road, erreicht man nach weiteren 15 Kilometern den sagenumwobenen *Medicine Lake*. Er hat keinen sichtbaren Abfluß, aber wahrscheinlich mehrere unterirdische, die bisher nicht genau lokalisiert werden konnten.

Durch Schnee- und Gletscherschmelze tritt der See im Frühjahr und Sommer leicht über die Ufer und verursacht dadurch Probleme. Im Herbst hingegen und Winter ist er oft fast leer und dann weniger reizvoll anzusehen. Die Indianer vermuteten dahinter »Große Medizin« ihrer Götter, was zu der Namensgebung führte.
48 Kilometern von Jasper entfernt erreicht man das Nordufer des *Maligne Lake* in 1671 Metern Seehöhe. Er ist mit 22 Kilometern Länge der größte Gletschersee im Jasper Park und mit 97 Metern der zweittiefste in den kanadischen Rockies. Seine volle Schönheit entfaltet sich erst jenseits der etwa auf halber Seelänge ihn einengenden »Narrows«, mit dem berühmt malerischen Spirit Island. Südöstlich dieser Insel ist der See auf beiden Seiten flankiert von mächtigen steilen Felswänden, die beinahe senkrecht zu gletschergekrönten Bergriesen aufsteigen – eine imposante Szenerie von uriger Einsamkeit.
Wer die bequemeren, regelmäßig verkehrenden Tourenboote wegen ihrer Lärmbelästigung nicht mag, sollte sich einen Kajak leihen, und in einer Zwei- oder Dreitagestour auf einem der drei am Seeufer eingerichteten, gebührenfreien Primitiv-Zeltplätze die entrückte Erhabenheit dieses Naturrefugiums genießen. Mittels Angelzeug kann man sich aus dem reichen Forellenbestand leicht selbst versorgen.
Am Nordeingang zum See stehen ein Restaurant mit Cafeteria und ein »Gift Shop« zur Verfügung. Ein Campingplatz besteht nicht, es handelt sich um eine »day use area«! Trinkwasser ist bei der Warden Station erhältlich, wenngleich nicht zum allgemeinen Gebrauch vorgesehen.

Anschrift

Superintendent
Jasper National Park
P. O. Box 10
Jasper, Alberta
TOE 1EO, Canada
Telefon: (403) 852-6161

Vom Columbia-Eisfeld aus bilden sich die Eiskaskaden des Athabasca-Gletschers. ▷

Der Dome Glacier reicht in mehreren Kaskaden vom Columbia Icefield bis in Straßennähe herab. ▷▷

Die Abendsonne verdeutlicht die Strukturen von Eis und Felsen.

◁ Wohin man blickt, überall eisige Steilwände und furchterregende Gletscherstürze.

Bis fast zum Straßenniveau herab reicht die breite Gletscherzunge des vom Columbia Icefield kommenden Athabasca-Gletschers. ▷

Die weiße Bergziege steht auf jedem Gestein sicher.

Schnell springen die Tangle Falls über zahlreiche Felstreppen. ▷

Icefields Parkway

Der *Icefields Parkway* von Jasper in südlicher Richtung, eine der berühmtesten alpinen Aussichtsstraßen der Welt, erstreckt sich bis Lake Louise Village, wo er in den Trans-Canada Highway 1 einmündet. Sein zum Banff Nationalpark gehöriger Anteil ist auf den Seiten 52 bis 78 beschrieben. Der im Jasper Park liegende nördliche Verlauf sei im folgenden beschrieben.
Zunächst führt die breit angelegte Straße ohne größere Reize entlang dem Athabasca River vorbei an den Campgrounds »The Whistlers« (3 Kilometer) und »Wapiti« (5 Kilometer), um nach etwa acht Kilometern eine Alternative anzubieten zwischen schnellerer, jedoch verkehrsreicherer Weiterführung oder der westlich abzweigenden Straße 93A, von der nach fünf Kilometern westlich die Auffahrt zu Mount Edith Cavell abführt (s. Seite 85) wie auch die Zufahrt zum Wabasso Camp. Im weiteren Verlauf berührt man den hübsch gelegenen Leach Lake oder kann über eine Staubstraße den einsamen Moab Lake erreichen. 31 Kilometer südlich von Jasper führt eine Parkplatzzufahrt zu den berühmten *Athabasca Falls*. Hier stürzt sich der Athabasca-Fluß in Kaskaden eine enge Schlucht hinab, im Hintergrund überragt von dem rotfelsigen Mount Kerkeslin. Mehrere Aussichtskanzeln und zwei Brücken ermöglichen hier eine gute Übersicht.

Kilometer 38:

Von der Parkausfahrt, eröffnet sich ein frontaler Blick auf den östlich der Straße liegenden Mt. Kerkeslin, während rechterhand (westlich) ein 50 Meter langer Fußpfad durch Baumgruppen führt, jenseits derer sich eine lehrreiche Aussicht auf den tief unten sich dahinschlängelnden Athabasca River und die sein Urstromtal westlich säumende Gebirgskette weitet, eines der schönsten Panoramen dieser Region überhaupt.
Auf der zum Fluß hinabreichenden weißlichen Tonschutthalde findet man häufig viele weiße Bergziegen, die hier ihren Mineralbedarf decken, was an den quarzsandigen Hängen der anliegenden Berge nicht möglich ist; weil sich die wenig scheuen Tiere oft auch direkt an der Straße aufhalten, fahre man hier bitte besonders aufmerksam und rücksichtsvoll.

Kilometer 55:

Sunwapta Falls. Ein weiterer touristischer Höhepunkt liegt 600 Meter neben der Straße. Hier zwängt sich der Sunwapta River (*sunwapta*, indian.: turbulenter Fluß) durch tief eingeschnittene Felswände und durchquirlt die canyonartige Schlucht auf eindrucksvolle Weise.
Im Sommer stehen an der Abzweigung zum Parkplatz auch eine Tankstelle, ein Bungalow-Dorf sowie ein einfaches Lebensmittelgeschäft zur Verfügung.

Kilometer 60:

Picknickplatz mit kleinem sprudelnden Quellsee, *Bubbling Springs*. Kein Trinkwasser!

Kilometer 75: *Jonas Creek Rock Slide.* Beidseits des Highway liegen riesige rosarote Felstrümmer aus Quarzsandstein, die von dem östlichen Berghang herabgestürzt sind. Die Abbruchstellen sind noch gut erkennbar.

Kilometer 95: *Stutfield Glacier.* Aussichtspunkt mit guter Parkmöglichkeit. Westlich des Highway erkennt man einen Ausläufer des Columbia Icefield, von dem der Stutfield-Gletscher in mehreren Eisstufen 600 Höhenmeter herabreicht. Vormittagslicht ist beim Fotografieren zu bevorzugen.

Kilometer 99: *Tangle Falls.* Östlich der Straße ergießt sich ein Wasserfall über viele Felsstürze in die Tiefe. Auf dem kleinen Parkplatz trifft der Besucher oftmals bettelnde Bergziegen.

Kilometer 100: *Sunwapta Canyon Viewpoint.* In der Tiefe rauscht in kaum einsehbarer Schlucht der Sunwapta-Fluß. Aus den Felswänden ergießen sich serienweise Wasserfälle. In Fahrtrichtung rechts das gewaltige Massiv des Mount Kitchener (3475 Meter) sowie in südlicher Ferne die schneebeladenen Steilfronten des Mount Athabasca (3491 Meter) und Mount Andromeda (3444 Meter).

Kilometer 103: *Columbia Icefield Information Bureau* und *Interpretive Center.* Ein gut ausgestattetes Besucherzentrum mit Informationsmöglichkeiten und regelmäßigen Farbdia-Vorführungen.

Von hier aus sollte man die kurze Fahrt an die Gletscherzunge des Athabasca Glacier nicht versäumen. Es ist recht anschaulich, selbst die Strecke abzugehen, die sich der Gletscher in den letzten wenigen Jahrzehnten zurückgezogen hat, allein zwischen 1980 und 1989 um mehr als 30 Meter, in den letzten hundert Jahren um eineinhalb Kilometer!

Noch eindrucksvoller ist die Fahrt mit Spezial-Bussen auf den unteren Teil des Gletschers. Er entspringt dem *Columbia-Icefield,* welches mit seinen über 325 Quadratkilometern und einer Stärke zwischen 200 und 365 Metern die größte Ansammlung von Eis in den gesamten Rocky Mountains darstellt. Es überdeckt sowohl die Continental Divide wie die Grenzen zwischen dem Jasper und dem Banff Nationalpark. Die Zeitspanne, die neugefallener Schnee braucht, um als Eisschmelze an der Gletscherzunge wiederzuerscheinen, beträgt nach neueren Untersuchungen etwa 150 bis 200 Jahre.

Seine drei größten in östlicher Richtung herabreichenden Gletscher sind der Athabasca-, der Dome- und der Stutfield Glacier. Insgesamt stellt dieses Areal den Höhepunkt des gesamten Icefields Parkway dar.

Kilometer 105: *»Columbia Icefield Campground«,* 22 Stellplätze, nicht besonders geebnet, Chemikal-Toiletten. Trinkwasser sollte abgekocht werden.

Kilometer 106: *»Wilcox Creek Campground«,* 46 Plätze, Trinkwasserleitung, auch zum Tankauffüllen. Sanitärstation zur Abwasserentleerung von Campingfahrzeugen.

Kilometer 108: Grenze zwischen den Nationalparks Jasper und Banff (Weiter auf Seite 28 unter Banff Nationalpark).

Anschrift

Superintendent
Jasper National Park
P. O. Box 10
Jasper, Alberta
TOE 1EO, Canada
Telefon: (403) 852-6161

Westlich des Athabasca River reihen sich die Gipfel aneinander und bilden die Große Kontinentale Wasserscheide.

◁ In nördlicher Richtung weitet sich das Sunwapta-Tal bis zu den schräg verworfenen Felspalten der vielzackigen Churchill Range.

Steilwandig steht der 3505 Meter hohe Mount Kitchener im Westen des Sunwapta River Valley. ▷

2984 Meter hoch erheben sich östlich der Straße die durch Eisenoxide und Manganate farbenprächtigen Felswände des Mount Kerkeslin. ▷▷

Einem Grizzly-Bären im Hinterland zu begegnen, erfordert Glück und Unerschrockenheit. Meist fehlt ihm selbst der Mut.

◁ Vom Athabasca River Viewpoint aus hat man einen weitreichenden Blick nach Süden auf den Mount Christie und den kegelförmigen Brussels Peak.

◁◁ Tosend stürzt sich der Sunwapta-Fluß bei den gleichnamigen Fällen in die Tiefe.

Bergziegen sind regelmäßig in der Nähe des Mount Kerkeslin, an dessen Hängen sie grasen. Der gegenüberliegende Abhang zum Athabasca River enthält viele natürliche Mineralien, weshalb die Tiere sich hier häufig aufhalten, um ihren Mineralbedarf zu decken. ▷

Die mächtien Athabasca Falls liegen nur 300 Meter von der Hauptstraße 93 entfernt und beeindrucken vor allem im Frühsommer.

Der klare grüne Leach Lake liegt unmittelbar neben dem Icefields Parkway. Im Hintergrund der Mount Christie (3109 Meter) und der Mount Fryatt (3360 Meter).

Seite 114/115:
Höchster Berg der Umgebung von Jasper ist der einsam zurückliegende Mount Edith Cavell (3363 Meter) mit seinem hübsch geschwungenen Angel Glacier, der in einen eisigen Bergsee mündet und weiter unten den Cavell Lake bildet.

Seite 116:
Südflanke des Mount Edith Cavell mit Eisbergsee.

Seite 117:
Der herrliche Angel Glacier scheint über dem mit Gletscherbruch angefüllten Bergsee zu schweben.

Seite 118/119:
Gletschereis ist offensichtlich formbar und nimmt bei hohem Druck interessante Schichtformen an.

◁ Der Maligne Canyon ist die wohl beeindruckendste Gebirgsklamm der kanadischen Rockies. Kilometerweit haben sich die stürzenden Wasser des Maligne River bis 25 Meter tief in den 350 Millionen Jahre alten Kalkfels der Palliser-Formation eingeschürft.

Zwölfender sind bei den Wapiti-Hirschen dieser Nationalparks keine Seltenheit.

Wo früher ein riesiger Gletscher lag, breitet sich heute der Zufluß-
bereich des Medicine Lake.

Der wohl berühmteste Fotopunkt des Parks mit Blick auf die ▷
südlichen Berggipfel befindet sich etwa 15 Kilometer seeaufwärts
bei den sogenannten Narrows. Die malerische Halbinsel wird Spirit
Island genannt und ist nur mit dem Boot erreichbar.

Unweit der Narrows kann man vom Maligne Lake aus einen zwischen Mount Charlton (3217 Meter) und Mount Unwin (3268 Meter) herabreichenden namenlosen Gletscher einsehen.

Letzter Abendsonnenstreifen auf der Queen Elizabeth Range am Maligne Lake. ▷

Yoho Nationalpark

Dieses Naturschutzgebiet mit besonders vielfältigen Reizen liegt zur Gänze in British Columbia, also westlich der Großen Kontinentalen Wasserscheide. Es zeichnet sich durch weitreichende hochalpine Regionen, riesige Schnee- und Eisfelder, 28 Berggipfel über 3000 Meter, Gletscherseen, Wasserfälle, Schluchten und weite Urstromtäler auf insgesamt 1313 Quadratkilometern aus. Viele hundert Jahre, ehe der Weiße Mann von diesem reich mit Naturwundern gesegneten Gebiet Besitz ergriff, lebten hier die Cree-Indianer, um in den Waldtälern zu fischen und jagen. »Yoho« ist der indianische Ausdruck für Ehrfurcht und Respekt, ihren Empfindungen gegenüber den unbezwingbar drohenden Bergriesen.

Als die ersten Pelztierjäger, Forschungsreisenden und später Eisenbahn-Pioniere hierher kamen, waren sie überwältigt von den landschaftlichen Schönheiten, der Majestät hehrer Gipfel und den unberührten tiefen Gebirgstälern. Bereits 1866 wurde ein 26 Quadratkilometer großes Gebiet um den jetzigen Mount Stephen als Dominion Park geschützt, aber erst 1930 wurde der heutige Umfang des Nationalparks festgelegt.
Die Landschaftsbildung folgte den gleichen geologischen Entstehungsmechanismen wie in den anderen Parks der kanadischen Rocky Mountains. Auch die eiszeitlichen Wirkungen sind in analoger Weise ablesbar. Wesentliche topographische Merkmale sind daher die rundende Modellierung aller Bergkuppen außer den höchsten Gipfeln, U-förmige Täler, Moränenhalden, Seenketten und viele Wasserfälle.
Eine absolute Besonderheit hingegen stellt die erst vor wenigen Jahrzehnten entdeckte, 550 Millionen Jahre alte Kalksedimentschicht dar, in der bisher 150 Arten von versteinerten Meerestieren gefunden wurden, Spezies, von denen man bislang eine große Anzahl noch nirgendwo auf der Erde entdeckt hatte.
Diese sogenannte »Burgess Shale« wird deshalb heute zu Recht von Fachleuten als »Fenster« in die Urzeit gerühmt. Eine weitere, wenngleich neuzeitliche Einmaligkeit bietet der Park seit seiner Erschließung durch den Eisenbahnbau über den 1881 gewählten Kicking Horse Paß: Um die enorme Steigung von über vier Prozent zu bewältigen, was viele Jahre trotz beträchtlicher Anstrengungen immer wieder mißlang, wurden zwei Spiraltunnel von insgesamt 1860 Metern Länge beidseits des Tales brezelförmig in die Bergstöcke getrieben, eine damals unerhörte technische Pionierleistung, die sich bis heute bewährt.
Tier- und Pflanzenleben innerhalb des Parks weisen eine besonders große Artenvielfalt auf, begünstigt durch die vorherrschenden Westwinde, die vom Pazifik her ganzjährig hohe Niederschlagsmengen gegen die nach Osten ansteigenden Hügelketten und Bergmassive tragen. Infolge unterschiedlicher Höhenlagen bilden sich dabei drei Mikroklimazonen mit spezifischen Pflanzenarten und ihnen angepaßter Tierwelt: Der montane Bereich feuchtkühler Immergrün-Wälder, die höherliegende subalpine Zone gemischter Bergkoniferen und die hochalpine Region oberhalb der Baumgrenze mit tundraartigem Bewuchs, blankem Fels oder Dauerschneelagen.

Was sehen, was tun?

Die Hauptsehenswürdigkeiten des Naturparks seien nachfolgend in der Reihenfolge ihrer touristischen Wertigkeit beschrieben, eine natürlich subjektive Gliederung, die jedoch für den zeitknappen Reisenden hilfreich sein kann.

Emerald Lake Road. Etwa drei Kilometer westlich von Field zweigt vom Highway 1 eine Straße in nördlicher Richtung ab, die nach 1,6 Kilometern einen Parkplatz berührt, welcher an der *Natural Bridge* liegt. Hier hat der Kicking Horse River sich unter Bildung eines verzweigten Wasserfalles tief in das Gestein eingefurcht. Informationstafeln erklären die geologischen Merkmale dieses Prozesses. Vormittags am schönsten.
An gleicher Stelle zweigt auch eine kurze Waldstraße ab, die zum *Animal Lick* führt, einem kleinen Quellgebiet, wo Elche und Hirsche ihren Mineralbedarf stillen. Die besten Chancen, hier sonst selten zu beobachtendes Wild anzutreffen, besteht am frühen Morgen und späten Nachmittag.
Am Ende der Straße führt eine Fußbrücke zu dem idyllisch gelegenen Picknickplatz am Zusammenfluß der verschiedenfarbigen Bergflüsse Amiskwi und Kicking Horse. In der Nähe befindet sich der Zufluß des Emerald River.
Vom vorerwähnten Parkplatz führt die Straße weitere sechs Kilometer stetig bergauf bis zu einem kleinen Parkplatz, der als Zugang zum bildschön gelegenen Emerald Lake in 1 302 Metern Höhe dient. Seine gletschergrüne Farbe und die von seinen Ufern malerisch aufsteilenden Bergriesen Mount Burgess (2 583 Meter) und Michael Peak (2 695 Meter) lohnen die Anfahrt und den Spaziergang auf einem den See teilweise umrundenden Pfad. Leider gehört der schönste Teil des westlichen Aussichtsweges einem Hotelunternehmen, so daß allgemeiner Publikumszugang und freier Landschaftsblick durch häßliche Motelgebäude unmöglich wird. Eine solche, der originären Nationalpark-Idee zuwiderlaufende Kommerzialisierung wird man in den USA zum Glück vergeblich suchen. Ein halbstündiger Waldpfad führt vom Parkplatz zu den von Felsformationen seltsam geführten Hamilton-Fällen.

Yoho Valley Road. Diese Bergstraße zweigt zwei Kilometer östlich von Field vom Highway 1 in nördlicher Richtung ab. Vorbei am Kicking Horse Campground, steigt die Trasse bald steil an, um nach zwei Kilometern zu einem Aussichtsparkplatz zu kommen, von dem man einen Blick auf den oberen Spiraltunnel der Eisenbahn hat. Man sieht hier gut, wie die oft über 100 Waggons langen Güterzüge im Cathedral Mountain verschwinden und nach 992 Metern und 228 Grad Kurvenwindung rund 15 Meter tiefer wieder herauskommen. Gute Sicht auch auf den Mount Stephen (3 199 Meter). Nach weiteren 500 Meter bergauf blickt man rechts auf den tosenden Zusammenfluß des Kicking Horse River mit dem Yoho River – »Meeting of the Waters« genannt. Kurz darauf wird die Fahrt für längere Campingfahrzeuge schwierig, da zwei sehr enge und steile Haarnadelkurven ein Zurücksetzen in der Kurve erfordern. Wohnanhänger dürfen deshalb diese Bergstrecke nicht befahren.
Die Straße endet nach 15 Kilometern an einem weiträumigen Parkplatz mit Picknickeinrichtungen. Von Aussichtspunkten entlang einem kurzen ebenen

Fußpfad in südlicher Richtung erhält man großartige Eindrücke von dem an der gegenüberliegenden Felswand 384 Meter tief herabstürzenden *Takakkaw-Fall*. Er ist der höchste Wasserfall Kanadas und wegen seiner recht ungewöhnlichen Kaskadenform der wohl sehenswerteste. Achtung Fotografen: Vor 13 Uhr liegt kein Sonnenlicht auf dem Wasserfall!
Ein etwas zeitraubender Fußweg führt vom Parkplatz zu den Twin Falls, kurz unterhalb eines Gletschers. Der Ausflug kann, je nach Schrittmaß, fast zu einer Tagestour werden.

Burgess Shale. Dieses weltberühmte Areal, wo man einen Blick werfen kann auf Gesteinslagen mit 550 Millionen Jahre alten Fossilien, liegt nahe dem Osteingang des Parks und kann über einen anstrengend steilen Pfad erreicht werden. Eine Sondererlaubnis hierzu muß von dem »Park Operations Center«, vier Kilometer westlich von Field, eingeholt werden. Jegliche Entnahme von Versteinerungen ist strengstens untersagt.

Lake O'Hara ist ein weit abgelegenes alpines Juwel, ein blaugrün schimmernder See, eingebettet in ein Rund von steilwandigen Gebirgsstöcken in 2012 Metern Höhe. Man erreicht ihn, indem man von Field auf dem Highway 1 knapp zehn Kilometer in Richtung Osten (Banff) fährt, dann rechts auf den Highway 1A nach Lake Louise abzweigt und kurz nach der unmittelbaren Überkreuzung der Bahnlinie rechterhand im spitzen Winkel rechts hinab auf einer kurzen Staubstraße zu einem Primitiv-Parkplatz und dem Gatter gelangt, welches den Eingang zu der Forststraße sperrt, auf der Sonderbusse nach elf Kilometern den Lake O'Hara erreichen. Dort befindet sich ein »walk-in«-Camp und eine Lodge, beide mit Vorausbuchungs-Erfordernis.
Täglich verkehrt nur ein Bus, der früh hinauf und abends zurück fährt. Die Tagesbesucherzahl ist damit begrenzt. Lange Voranmeldung ist bei der Parkverwaltung oder der Lake O'Hara Lodge, Telefon (604) 343-6418 erforderlich. Verweildauer jeweils höchstens 4 Tage.

Wapta Falls. Etwa zwei Kilometer westlich des Eingangs zum Hoodoo Creek Campground zweigt vom Highway 1 eine kürzere Staubstraße in südlicher Richtung zu einem Waldparkplatz ab. Von dort führt ein ebener Wanderpfad von insgesamt 2,4 Kilometer Länge zu den Wapta-Fällen. Hier stürzt der vor allem im Frühsommer stark wasserführende Kicking Horse River in 87 Metern Breite 28 Meter in die Tiefe, ein grandioses Naturschauspiel, das man keinesfalls versäumen sollte.
Man verzichte auch nicht darauf, den Pfad bis zu seinem Ende unterhalb der Fälle zu begehen, da hier der Eindruck besonders überwältigend ist.

Hoodoo Creek Trail. Vom bergseitigen Ende des gleichnamigen Campingplatzes führt ein halbstündiger Bergwaldpfad 1,6 Kilometer hinauf zu den »Hoodoos«, einer Gruppe von postglazialen Felspyramiden, die Skulpturen ähnlich aus verschiedenfarbigem Gletscherschutt magisch aufragen.
Wer ohnehin auf dem anliegenden Campground übernachtet, spart die Extraanfahrt.

Morgensonne auf dem Gipfel des Mount Stephen.

Continental Divide. Die Große Kontinentale Wasserscheide, von Alaska herabreichend, und über Mittelamerika in die Anden Südamerikas übergehend, sieht man selten besser markiert und auch topographisch anschaulicher, als an dieser Stelle des Highway 1A zwischen Lake Louise und der Einmündung der 1A in den Highway 1 beim Wapta Lake am östlichen Ende des Yoho Parks.
Hier teilt sich ein kleiner Fluß in zwei Schenkel auf. Einer führt östlich über das Saskatchewan-Flüssesystem in die Hudson Bay, während der andere alle westlich abfließenden Bäche sammelt, schließlich in den Columbia River mündet und damit dem Pazifischen Ozean zugeführt wird.

Anschrift

Superintendent
Yoho National Park
P. O. Box 99
Field, B. C.
VOA IGO, Canada
Telefon: (604) 343-6324

Der Takakkaw-Fall ist mit 384 Metern einer der höchsten Wasserfälle überhaupt und im Frühsommer von eindrucksvoller Schüttung. ▷

Bei Natural Bridge zwängt sich der Kicking Horse River durch natürliche Felsenbrücken. ▷▷

Die Leanchoil Hoodoos bildeten sich aus Geröll der letzten Steinzeit, welches von der stetigen Erosion mittlerweile teilweise abgetragen wurde.

◁ Stolz erheben sich die Steilwände des Mount Burgess 2583 Meter hoch am Emerald Lake.

Nationalpark bedeutet, daß die Natur in ihrer Gesamtheit sich selbst überlassen bleibt. ▷

Der Gray Jay ist überall ein geselliger Begleiter.

Für den Waschbär (raccoon) ist der Apfel eine Delikatesse.

Der Kicking Horse River stürzt sich bei den 87 Metern breiten Wapta Falls über 28 Meter donnernd in die Tiefe.

◁ Beim Zusammenfluß des Amiskwi River und des Kicking Horse River kann man gut die Herkunft ihrer Wasser erkennen. Der klare Amiskwi führt kein Gletschermehl mit sich.

In der Morgenröte nimmt sich der 3 199 Meter hohe Mount Stephen besonders dramatisch aus. ▷

Der malerisch in ein Hochgebirgsrund eingebettete, nur beschränkt zugängliche Lake O'Hara liegt in 2012 Meter Höhe – ein Geheimtip für alpinistische Ästheten. ▷

Der Goodsir Mountain (3 562 Meter) liegt an der südwestlichen Grenze des Parks, dem Ottertail River benachbart. ▷

Kootenay Nationalpark

Der Kootenay Nationalpark wurde als zehntes kanadisches Naturschutzgebiet dieser Kategorie im Jahre 1919 etabliert und umfaßt heute 1 406 Quadratkilometer Gesamtfläche. Sein Name ist die Anglisierung des indianischen Begriffes »K'tunaxa«, was soviel wie »Freunde von jenseits der Hügel kommend« bedeutet.

Die ersten Weißen erreichten in den 40er Jahren des 19. Jahrhunderts diese Gegend, als Sir George Simpson, der Gouverneur der Hudson's Bay Company, eine Route für den Fellhandel über die Berge zum Columbia-Fluß suchte.
1858 entdeckte Sir James Hector mit der Palliser-Expedition den Weg über den Vermilion Paß. Der Paß stellt heute die Grenze zum Banff Nationalpark dar, während die südwestliche Ausdehung des Parks bis zu dem jenseits des Sinclair Canyon liegenden Kleinstädtchen Radium Hot Springs reicht.

Auf der Westseite der Großen Kontinentalen Wasserscheide gelegen, dominieren in den nördlichen Regionen des Kootenay Nationalparkes die Gipfel der Rockies, während weiter südwestlich die Western Ranges verlaufen, die das Vermilion-Tal sowie Teile des Sinclair- und Kootenay Valley umschließen.
Im Süden grenzt der Park an die einzigartige Redwall Fault, deren rote Felswände in vielfach gebrochenen Gruppen die Pforte nach Radium Hot Springs bilden und ergiebige warme Mineralquellen zu Tage treten lassen.
In prähistorischer Zeit dienten diese von den Eiszeiten U-förmig ausgeschürften Täler der nordsüdlichen Verbindung bereits als Jagd- und Siedlungsgebiete, vorwiegend für die Kootenay-Indianer, deren Feuerstellen und Felsmalereien noch heute erkennen lassen, daß sich hier die Stämme der östlichen Prärie mit denen der Gebirgsareale trafen, also nicht verfeindet waren.

Marble Canyon wird eine 600 Meter lange und bis 64 Meter tiefe Schlucht aus marmorartigem Kalkstein genannt, die der Tokumm Creek seit Jahrmillionen ausgefräßt hat. ▷

Was sehen, was tun?

Außer der vielgestalten landschaftlichen Schönheit des Parks, die man nur unzureichend auskosten kann, wenn man ihn lediglich durch Abfahren seiner Straßen kennenzulernen versucht, bietet der Kootenay eine Reihe von Besonderheiten, die man unbedingt gesehen haben sollte. Diese liegen in nordsüdlicher Abfolge gerechnet von der Castle Junction (siehe Seite 42) in folgenden Entfernungen:

Kilometer 8: *Vista Lake Viewpoint.* Guter Überblick auf das Gebiet des Vermilion-Paß-Waldbrandes von 1968, als durch Blitzschlag über 2 500 Hektar Bergwald innerhalb von vier Tagen abbrannten. In der Tiefe der hübsch eingebettete Vista Lake, zu dem ein leicht begehbarer Weg hinabführt.

Kilometer 10: Der 1651 Meter hohe *Vermilion Paß* bildet die Grenze zwischen den Provinzen Alberta und British Columbia. Gute Sicht auf den Mount Whymper (2844 Meter) im Westen und Storm Mountain (3161 Meter) im Südosten. Vom linksseitigen Parkplatz aus führt ein Naturlehrpfad in die Waldbrandzone, wo man die natürliche Regenerierung dieses damals völlig verwüsteten Areals bestaunen kann. Vor allem imponieren die heute schon über fünf Meter hohen Lodgepole Pines (pinus contorta), deren Zapfen sich erst durch Erhitzung zur Aussaat öffnen und die daher stets die ersten Jungbäume nach solchen Naturkatastrophen bilden.

Kilometer 17: *Marble Canyon Trail*. Von einem nördlich der Straße gelegenen Parkplatz aus führt ein sicherer Fußpfad, durch mehrere Brücken beide Ufer verbindend, beidseits des beachtlichen Marble Canyon bergauf. Tief in das Kalkgestein eingeschnitten kaskadiert der Tokumm-Bergbach 800 Meter lang zwischen bis über 60 Meter hohen Felswänden, durch grünblaue Felsaushöhlungen und über gischtende Wasserfällen ehe er in den Vermilion-Fluß mündet. Die beste Zeit für Fotos, während der günstiger Sonnenstand die Schlucht stellenweise bis zum Grund ausleuchtet, sind die Mittagsstunden bis etwa 14 Uhr.

Kilometer 20: *Paint Pots*. Ein Parkplatz nördlich der Straße ist Ausgangspunkt für einen 20-minütigen Fußpfad zu den Paint Pots. Hier findet sich in ockerfarbenen Tonschichten, deren kräftiges Pigment aus eingelagertem Eisenoxid besteht, ein farbenprächtiges Quellgebiet.

Die Indianerstämme früherer Zeiten zogen von beiden Seiten der Rockies weit her, um den Naturfarbstoff zur Bemalung ihrer Körper und »tepees« (typ. Indianerzelt) zu gewinnen. Der spätere Versuch der Weißen, kommerziellen Gewinn aus dem Vorkommen zu ziehen, mußte bald wieder aufgegeben werden. Drei eigenartige Quellteiche am oberen Ende des leicht aufwärts führenden Pfades sollte man unbedingt anschauen. Eine Warden-Station bietet weitere Information.

Kilometer 40: Von einer Parkbucht Ausblick auf den 3086 Meter hohen Mount Verendrye und den Verendrye Creek; Cliffs aus 500 Millionen Jahre altem Dolomit.

Kilometer 41: *Vermilion River*. Picknickplatz an der Brücke, hübsche Sicht, Tankstelle, Lebensmittel-Geschäft und kleine Lodge, die meist auf Wochen ausgebucht ist.

Kilometer 43: Der *Mount Assiniboine* (3618 Meter), das kanadische »Matterhorn«, höchster Gipfel dieser Region der Rocky Mountains, überragt den Horizont links in der Ferne.

Kilometer 49: *Animal Lick*. Man muß schon großes Glück haben, um hier einmal tatsächlich Elche, Hirsche oder Rehe anzutreffen, die an dem mineralreichen Boden lecken, um ihren Bedarf an anorganischen Vitalstoffen zu decken.

Kilometer 51: Ein hübscher Picknickplatz unter schattenspendenden Bäumen an einem kleinen Bergbach. Kurz vorher hat man nördlich der Straße einen guten Blick auf den Mount Wardle (2809 Meter), dessen Felsgipfel steilwandig aufragt.

Im Frühjahr reißt der Kootenay River seine Ufer auf und trägt viele kräftige Bäume davon.

◁ Die Paint Pots sind ein sehenswertes Areal von ockerfarbigen Tonlagen, die früher von vielen Indianerstämmen des Landes zur Kultbemalung abgebaut wurden.

◁◁ Im Juli 1968 kam es durch Blitzschlag hier zu einem ausgedehnten Waldbrand, dem 2400 Hektar Bergforst zum Opfer fielen. Die natürliche Selbsterneuerung dieses Gebietes wird seither mit wissenschaftlichem Interesse verfolgt.

Der Herbst bietet das beständigste Wetter und eine farbenprächtige Szenerie. ▷

Kilometer 56: *Hector Gorge Picnic Area*, im Walde neben der Straße, ohne jegliche Aussicht. Etwas weiter, am Südhang des Mount Wardle kann man Bergziegen grasen sehen.

Kilometer 58: *Hector Gorge Viewpoint*. Vom südlich der Straße erhöht gelegenen Parkplatz schaut man in das Vermilion-Flußtal und auf den Zufluß des Kootenay River. Der späte Nachmittag bietet die beste Fernsicht.

Kilometer 61: Brücke über den Kootenay-Fluß und Warden-Station. Kurz zuvor der liebliche Kootenay Pond mit angrenzendem Picknickplatz. Im weiteren Verlauf der Straße kann man häufig am und im Wald Hirsche sehen.

Kilometer 77: *McLeod Meadows Campground*. 98 Stellplätze, hübsch und praktisch angelegt. Die 500 m weiter eingerichtete Picnic Area ist von zahlreichen Erdhörnchen in Form einer unterirdischen Siedlung bewohnt.

Kilometer 81: Die *Kootenay River Picnic Area* bietet weiträumige Parkgelegenheit direkt am gleichnamigen Fluß und gute Aussicht auf die östlich gegenüberliegende weitgestreckte Mitchell Range.

Kilometer 89: *Kootenay Valley Viewpoint*. Dieser hochliegende Aussichtsparkplatz links der Straße bietet den wohl umfassendsten Blick auf das Kootenay-Tal und die sich östlich erstreckende Mitchell-Bergkette.

Kilometer 92: Zum 1486 Meter hohen *Sinclair Paß* windet sich die Straße, um in interessanten Perspektiven bergauf, dann hinab durch den *Sinclair Canyon* dem Columbia River entgegenzustreben.

Kilometer 102: Geräumiger Parkplatz an den brandroten Eisenoxid-Felsgruppen des *Iron Gate*; frühmorgens und spätnachmittags gibt es hier das beste Licht.

Kilometer 103: *Radium Hot Springs Aqua Court:* ein Thermal-Freibad in einmaliger Landschaftslage, geschickt in ein kleines Felsental eingebettet.
Schon vor Hunderten von Jahren waren die heißen Quellen den hier jagenden Kootenay-Indianern bekannt und wurden zu rituellen und Heil-Zwecken verwendet. Nach vorübergehender Kommerzialisierung durch einen britischen Unternehmer von 1890–1922 wurden sie dem Nationalpark eingegliedert.
Heute füllt das 35 bis 47 Grad heiße Quellwasser ein auf 40 Grad Celsius gehaltenes Warmwasserbecken sowie ein größeres Freibecken von 27 Grad. Begrenzter Parkraum in der engen Talschlucht läßt für größere Campingfahrzeuge tageszeitgerechte Planung empfohlen sein. Ein einmaliges Badeerlebnis ist gewiß.

Kilometer 104: Der *Sinclair Canyon* ist die westliche Pforte zum etwa einen Kilometer entfernt liegenden Parkeingang, von wo aus es in die Kleinstadt Radium hinabgeht. Dort stehen alle touristischen Einrichtungen, Versorgung und Information zur Verfügung.

Vom Pazifik aufsteigende Sommergewitter bringen ergiebige Niederschläge.

◁ Die Kootenay River Picnic Area und der Valley Viewpoint bieten einen weitreichenden Blick auf das Flußtal und die den Fluß östlich begleitenden Bergzacken der Mitchell Range.

Der Radium Hot Springs Aquacourt liegt mitten in den Bergen und wird von Quellen gespeist, die je nach Jahreszeit 35–47 Grad heiß sind. ▷

Iron Gate werden diese von Eisenoxid rotgefärbten Felsen genannt, die den Highway östlich von Radium Hot Springs einengen. ▷▷

Elche sieht man während der Sommersaison am ehesten in der Nähe feuchter Wiesen mit saftigem Weidengebüsch, oder an einem mineralhaltigen »animal lick«.

Die Quellgebiete des Columbia River sind ein riesiges Feuchtbiotop. ▷

Besonders mit dem Reisemobil kann man die einsamsten Naturwinkel genießen.

Bei Radium Hot Springs sammeln sich die zahlreichen Quellflüsse des später mächtigen Columbia River. ▷

Waterton Nationalpark

Die Große Kontinentale Wasserscheide, welche den nordamerikanischen Kontinent in etwa nordsüdlicher Richtung teilt, bildet im Süden der kanadischen Provinzen British Columbia und Alberta deren natürliche Grenze. Wo diese auf den 49. Breitengrad trifft, finden wir den Waterton-Glacier International Peace Park, dessen Ausdehnung bis ins benachbarte amerikanische Montana reicht. Seine nördliche Verbindungsachse stellt der Waterton Lake dar, der sich in einem früheren Gletscherbett auf 1279 Meter Höhe grenzüberschreitend erstreckt.

Ein kurzer Rückblick in die geologische Geschichte ist für das Verständnis dieser Lanschaftsentstehung lohnend.

Vor etwa einer Million Jahren existierte ein Binnenmeer von 800 Kilometer Breite und einer Längenausdehnung von Nordkanada bis zum Golf von Kalifornien. In dieser Zeit wurden beträchtliche Massen von Kalksediment, Sand und Tonschlamm abgelagert, die später unter dem Druck des steigenden Materialgewichtes zu Gestein komprimiert wurden.

Vor etwa 65–100 Millionen Jahren begann dann ein noch heute fortwirkender Hebungs- und Verwerfungsprozeß der Erde gigantischen Ausmaßes, in dessen Verlauf eine Felsscholle von 1000 Metern Stärke sich von Westen her 60 Kilometer östlich verschob. Dabei wurde jüngeres Gestein von über eine Milliarde Jahre alten Formationen überlagert, ähnlich anderen Gebirgsbildungen der Erde. Der »Lewis Overthrust« des Waterton-Glacier Parks ist jedoch in vieler Hinsicht geologisch besonders eindrucksvoll und aufschlußreich.

Die heutige Landschaftsform ist weitgehend von Gletscher-Aktivitäten gebildet worden, die während der letzten drei Millionen Jahre lange, U-förmige Täler ausgeschürft und viele Gebirgsgrate abgeschliffen haben. So entstanden aber auch zahlreiche heute malerisch eingebettete, tiefgrüne Bergseen, für deren Schönheit der Park berühmt ist.

Neuere archäologische Funde belegen, daß Teile des jetzigen Parks, wie der Red Rock Canyon, bereits vor etwa 8000 Jahren ganzjährig bewohnt waren, wahrscheinlich jedoch mit längeren zeitlichen Unterbrechungen.

Lange bevor weiße Männer begannen, sich in das Innere der Rocky Mountains vorzuwagen, kannten es die einheimischen Indianer und sahen es als einheitliche Landschaft an.

Um die Mitte des 18. Jahrhunderts änderte sich dies. Immer tiefer drangen Pelztierjäger in die Berge ein und zogen Grenzen, die nicht der natürlichen Topographie entsprachen, sondern sich allein an den Interessengebieten der großen Pelzhandelsfirmen orientierten. Im Jahre 1818 wurde schließlich die Grenze zwischen dem Hoheitsgebiet der Vereinigten Staaten von Amerika und dem noch zu Großbritannien gehörenden Gebiet entlang dem 49. Breitengrad gezogen. Dadurch wurde ein ganzheitliches Landschaftsareal auf unnatürliche Weise geteilt.

Weitsichtige Männer, wie Kootenai Brown in Kanada und George Bird Grinnell in den USA, bemühten sich schon bald, ihre Regierungen davon zu überzeugen, daß diese Teile der Rockies als Naturschutz- und Erholungsgebiete für zukünftige Generationen erhalten werden sollten. Dieses Ziel wurde erreicht mit der Gründung des kanadischen Waterton Lakes Nationalpark im Jahre 1895 und, als amerikanischem Pendant, des Glacier Nationalparks im Jahre 1910.

Der interessante Cameron Lake liegt in 1660 Meter Höhe am Ende des durch das Cameron-Tal führenden Akamina Parkway. ▷

Im Laufe der kommenden Jahre erkannten beide Länder die natürliche Einheit beider Naturparks und etablierten 1932 den ersten internationalen Naturschutzpark der Welt, den Waterton-Glacier International Peace Park.
Er symbolisiert die Bande des Friedens und der Freundschaft zwischen den Völkern Kanadas und der Vereinigten Staaten, deren gemeinsame Grenze dieser Park vergessen läßt.
Der kanadische Teil des Parks erhielt seinen Namen 1858 von Thomas Blakiston, einem Teilnehmer der Palliser-Expedition, zu Ehren des englischen Naturforschers Sir Charles Waterton.
Allen Regionen des Parks gemeinsam ist die sinnesberuhigende Weiträumigkeit seiner Haupt- und Seitentäler, die stillen Bergseen und hehren Gipfelketten, Hochalmen und Wiesentäler, Waldeinsamkeit und schweigende Unberührtheit. So artenreich sich die Flora entwickelt, so vielgestaltig begegnet dem Wanderer auch die für den Park typische Fauna: Überall tummeln sich verspielte Streifenhörnchen, possierliche Stachelschweine, Erdhörnchen und in den höheren Lagen ebenso zutraulich erscheinende Murmeltiere, während in den frühen Morgen- und Abendstunden Rehe, Hirsche, weiße Wilde Bergziegen und Gebirgswildschafe fast unbekümmert gegenüber dem menschlichen Eindringling äsen.

Was sehen, was tun?

Den besten Überblick bietet der Hügel beim Prince of Wales-Hotel, von dem man sich jedoch nicht so stark beeindrucken lassen sollte, daß man auf die weitere Erkundung des vielgesichtigen Parks verzichtet. Die wesentlichen Abstecher sind wenig zeitraubend und landschaftlich reizvoll.

Die *Red Rock Canyon Road* windet sich etwa vier Kilometer südlich des Parks von der zur Townsite führenden Alta. 5 nördlich abzweigend kurvenreich bergauf in das schmale Blakiston-Tal, mit prächtigem Blick auf den höchsten Berg des Waterton-Gebietes, den 2940 Meter hohen Mount Blakiston, und endet nach insgesamt 14,5 Kilometern an einem Parkplatz, von dem aus ein bequemer Fußpfad in den farbenfrohen Red Rock Canyon führt. In einer tiefen Schlucht legt hier ein Bergbach Felsen frei, deren tiefrote Wände in starkem Kontrast zum frischen Grün seiner Farnumrandung wie auch der sorglos an den drohenden Abgründen herumkletternden Gebirgsschafe stehen.
Auf halber Strecke befindet sich der »Crandell Mountain Campground«.
Der *Akamina Parkway* führt, in Waterton-Townsite nahe dem Information Bureau abzweigend, rund 16 Kilometer stetig aufwärts entlang dem aussichtsreichen Cameron Valley zu einem im Walde gelegenen Parkplatz mit Picknickareal am höchst malerischen Cameron Lake. Der See wird teilweise von einem Fußpfad mit eindrucksvoller Aussicht auf die imposanten Felswände des Mount Custer (2708 Meter) umfaßt.
Etwa fünf Kilometer vom nördlichen Parkeingang auf der Alta. 6 in Richtung Pincher Creek biegt man in westlicher Richtung ab auf eine äußerst besuchenswerte Straßenschleife durch hügeliges Präriegelände. Hier werden kleine Herden von Bisons gehalten, die sich scheinbar unbekümmert nahe der improvisierten Staubstraße wie in einem großzügigen Freigehege äsend bewegen. Man lasse sich aber, wenn man kein Tele-Objektiv zur Hand hat, auf keinen Fall verführen, sich den Tieren zu nähern. Der Bulle zeigt sich nämlich schnell bereit, seine Familie zu verteidigen, indem er lästige Eindringlinge niederrennt oder auf die spitzen Hörner nimmt. Fürwahr keine erstrebenswerte Form, den Urlaub zu beenden.

Der Bison, auch Buffalo genannt, ist in allen Bergniederungen, vor allem den östlichen Rockies, heimisch.

◁ Das Beargrass (Xerophyllum tanax), ein Liliengewächs, schmückt mit seinen leuchtenden Blüten Wälder und Hänge.

Nach stürmischen Sommergewittern heitert sich der Himmel über der durchfeuchteten Landschaft auf. ▷

Sonnenschein und Regen wechseln häufig am Mount Grinnell.

Weiße Schneeziegen findet man nur in hohen Regionen, im Sommer in über 2000 Meter, wie hier am Garden Wall des Logan Passes. ▷

Mt. Revelstoke Nationalpark

Auch dieses nur 260 Quadratkilometer große Naturschutzgebiet, 1912 als Nationalpark begründet, liegt in den Selkirk Mountains, die zum größeren Bereich der Columbia Mountains gehören, dem riesigen Vorgebirge im Westen der Rockies. Höchste Erhebung derselben ist das Clachnacudainn-Eisfeld, welches eingebettet ist zwischen die Bergmassive Mount Klotz (2643 Meter), Mount St. Cyr (2597 Meter) und Mount Coursier (2646 Meter).
Die im Vergleich zu den Alpen scheinbar wenig eindrucksvollen Höhen dieser Gipfel sollten nicht darüber hinwegtäuschen, daß hier zwei Faktoren wirksam werden, die in Europa fehlen: die größere nördliche Breite, und vor allem die enormen Niederschlagsmengen, die von ständigen westlichen Winden aus dem nordpazifischen und subarktischen Raum herangetragen werden. Auf dem nur 1938 Meter hohen Mount Revelstoke liegen noch am 1. Juni meist zwei Meter Schnee.
Pflanzen und Tiere müssen sich diesen harten Bedingungen anpassen, und Arten, Wuchsformen und Regenerationsfähigkeit entsprechen daher weit nördlicheren Gebieten des Kontinents.
Für den Naturliebhaber liegt aber gerade in dieser Rauheit der spezifische Reiz dieser feuchtalpinen Landschaft, die in der kurzen Zeit nach Abschmelzen der Schneedecke, etwa ab Ende Juni bis zum Wiedereinsetzen von Nachtfrösten und erneutem Schneefall, in unwahrscheinlich farbenprächtigem Überfluß herrlichster Alpinflora geradezu explodiert. Ein Zauber, der oft nur wenige Tage im Jahr anhält.

Sollte man das Glück haben, in Revelstoke zu jener Idealzeit eine Hochdruck-Wetterlage vorzufinden, ist die Auffahrt zum Mount Revelstoke ein touristisches Muß für jeden an einsamer Naturschönheit Interessierten.

Was sehen, was tun?

Eine 26 Kilometer lange, auch von größeren Campingfahrzeugen gut zu bewältigende Bergstraße wurde 1927 vom Prinzen von Wales eingeweiht. Sie führt in langgestreckter Trassierung mit wenigen Serpentinen zum Gipfel des *Mount Revelstoke*. Sie beginnt 1,5 Kilometer östlich des Ortes Revelstoke, vom Highway 1 in östlicher Richtung abzweigend, und endet auf einem mäßig großen, aber einmalige Aussicht bietenden Parkplatz, nachdem sie 500 Meter zuvor einen Picknickplatz berührt hat, der idyllisch an einem Bergsee mit Trinkwasserqualität angelegt ist.
Auf dem Weg vom Tal bis zur Gipfelhöhe durchmißt die Straße mehrere Klima- und Vegetationszonen. Oben angelangt, hat man einen 360-Grad-Rundblick auf die umliegenden Bergketten der Selkirk Ranges der Columbia Mountains und die Monashee Mountains sowie in die Täler des Illecillewaet- und Columbia-Flusses.
Neben dem Endparkplatz liegt der zauberhafte Heather Lake, von dem aus mehrere Wanderwege in die Tundraregionen des Hochlandes führen. Hier währt der Sommer nur wenige Wochen, bietet dann aber eine herrliche Alpenflora: vor allem Indian Paintbrush (Kastillea), Lupinen, Arnika, Baldrian, Weiße Alpenrose, Claytonia oder Trollblumen, um nur die häufigsten zu nennen, wachsen hier. Beste Zeit: die ersten Augustwochen, je nach Jahreswetter.

Am Fuß des Mount Revelstoke fließt beschaulich der mächtige Columbia River nach Westen.

Die einzigen hier unter meterhoher Schneelast überlebenden Koniferen sind die Alpentanne (Subalpine fir/Abies lasiocarpa) und die Engelmann-Fichte (Engelmann spruce/Picea Engelmanii), die mit ihrer grazilen Schlankheit der gesamten Gipfelregion ihr typisches Gepräge gibt.
Schon der Highway 1 von Osten her bietet zwei interessante Naturlehrpfade, die von unmittelbar anliegenden Parkplätzen aus bequem zu begehen sind:
Der *Giant Cedar Trail*, nördlich des Highway 1, ist ein kurzer Rundweg durch naturbelassene Baumbestände, vorwiegend Western Red Cedar (Thuja plicata), viele tausendjährig, und die für diese Region charakteristische üppige Vegetation.
Der *Skunk Cabbage Trail* führt als 1,2 Kilometer langer Holzplankenweg durch dicht wucherndes Sumpfgebiet mit großem Reichtum an seltenen Pflanzen eines typischen Feuchtbiotops. Benannt wurde es nach dem üblen Geruch eines hier verbreiteten Aronstabgewächses (Symplocarpus foetidus) mit fast mannshohen Blättern. Vor Moskitos schütze man sich mit Hilfe entsprechender Mittel. Der Rundgang ist als Naturlehrpfad ausgelegt und mit Informationstafeln versehen. Der zugehörige Parkplatz liegt in der Nähe des Picknickareals Lauretta direkt am Highway 1.

Der nur noch selten anzutreffende Wolverine gehört zur Familie der Raubmarder. Er ist äußerst aggressiv und gefährlich, schrickt weder vor Menschen noch vor Großwild oder Bären zurück.

Vom Gipfel des Mount Revelstoke weitet sich der Blick auf die fernen Monashee Mountains.

Für wenige Wochen im Jahr entfaltet der Sommer eine alpine Blütenpracht von einmaliger Schönheit.

Führung · Praktische Hinweise

Banff

Anfahrt und Zugang

Während archäologische Funde belegen, daß bereits vor nahezu 11 000 Jahren Urbewohner innerhalb der heutigen Grenzen des Naturschutzgebietes unter primitivsten Bedingungen gesiedelt und gejagt haben, bietet sich dem heutigen Besucher ein vergleichsweise müheloser Zugang und Aufenthalt innerhalb dieses Kleinods der Natur.

Vier Anfahrten sind wählbar, die in der Reihenfolge ihrer häufigsten Benutzung und geographischen wie touristischen Logik folgende Rangordnung einnehmen:

Von Süden her nähert man sich am bequemsten über die Großstadt Calgary in der Provinz Alberta, die über Fluglinien-, Eisenbahn- und Buslinien-Anschluß verfügt; auf dem Trans-Canada Highway 1 Calgary-Banff sind es 134 Kilometer Fahrt, deren letzte etwa 40 Kilometer von der Prärielandschaft über Vorgebirge in alpine Panoramen führt.

Von Amerika kommend verläuft die kürzeste Zuführung durch den Waterton-Glacier International Peace Park, die ebenfalls über Calgary gelegt werden kann. Ist mehr Zeit verfügbar, empfiehlt es sich, den wunderschönen *Kananaskis Provincial Park* (Peter Lougheed Provincial Park) einzubeziehen, den man über die Alta. 6, und Pincher Creek, 48 Kilometer nördlich der Waterton Townsite und weiter über die Alta. 22 und 40 Nord erreicht.

Alternativ bietet sich die berühmt-berüchtigte *Forestry Trunk Road*, Alta. 940 an, mit malerischen Perspektiven auf die Rocky Mountains von Osten sowie herrlich einsam-primitiven Camps, allerdings ohne staubfreien Belag, weshalb nach Regenzeiten kaum große Fahrfreude aufkommen dürfte.

Auch von Calgary aus ist der Kananaskis Park ohne großen Mehraufwand ein lohnender Kurz-Umweg.

Vom Westen her wird in der Regel Vancouver in British Columbia der Hauptausgangspunkt einer Reise zu den Rocky Mountain Parks sein, da dorthin viele interkontinentale Flüge führen wie auch transkontinentale Eisenbahn- und Bus-Strecken. In dieser Weltstadt findet man alle Reiseerfordernisse umfassend erfüllbar.

Die von Vancouver ausgehenden Landesstraßen durchkreuzen in vielfältiger Streckenführung den Süden British Columbias, wobei der Trans-Canada Highway 1 über Kamloops nicht nur die müheloseste Verbindung darstellt, sondern

◁ Im Süden des Mount Revelstoke erheben sich die schneereichen Gipfelketten der Selkirk Mountains.

auch den wichtigen Vorzug bietet, hierbei die Nationalparks Revelstoke, Glacier und Yoho einschließen zu können, auf einer im übrigen landschaftlich äußerst abwechslungsreichen und reizvollen Fahrt, die mit dem Kicking Horse Paß die hier 2035 Meter hohe Great Continental Divide überwindet. Die Gesamtentfernung von Vancouver bis Banff beträgt allerdings 925 Kilometer, für die man mindestens drei Tage veranschlagen sollte.

Will man bei gleicher Gelegenheit den sehr interessanten Kootenay Nationalpark einbeziehen, so sind weitere 100 Kilometer Umweg über die BC 95 Süd nach Radium Hot Springs und entlang der BC 95 Nord durch den Park einzuplanen, wobei man den 1640 Meter hohen Vermilion Paß benutzt, um 60 Kilometer nördlich von Banff ins Bow Valley zu gelangen.

Eine weitere Zufahrtsmöglichkeit besteht *von Nordosten her*, wenn man die Großstadt Edmonton in Alberta als Ausgangspunkt wählt. Auch dort sind alle Startvoraussetzungen zum Besuch des Parks gegeben.

Man kann entweder über den Alberta Highway 2 Süd nach Red Deer und auf der Alta. 11 West (David Thompson Highway) zum Saskatchewan Crossing-Eingang fahren und von dort aus seine verschiedenen Unternehmungen in unterschiedlichen Richtungen fortführen oder, viel besser, von Edmonton über Calgary-Banff die Parks von Süden nach Norden kennenlernen.

Letztere Wahl hat mehrere entscheidende Vorzüge: Zum einen fährt man hierbei meist mit der Sonne im Rücken, was klarere Sicht- und Fotoverhältnisse ergibt, vor allem aber erlebt man durch die stetig höhersteigende Straßenführung und nördlichere Breite eine ständige Steigerung hochalpiner Landschaftsformen, wie sie wohl nur diese in der Welt einzigartige Straße in solch zunehmender Dramatik zu bieten vermag: der in Banff beginnende Bow Valley Parkway, bei Lake Louise übergehend in den Highway 93 Nord, den berühmten Icefields Parkway.

Stets dicht östlich der Kontinentalen Wasserscheide, die von den Gipfelketten der Rocky Mountains gebildet wird, entlang gewaltiger Urstromtäler, deren Gegenseite nicht weniger eindrucksvolle Felsmassive säumen, ist man dankbar für die großzügige Trassierung, den geringen Verkehr und die vielen Parkbuchten zum Staunen, Ergriffenwerden – und Fotografieren.

Unterbringung

Während der ausschließlich empfehlenswerten kurzen Hochsommersaison ist es gewöhnlich schwierig, in Banff, Lake Louise oder anderen in Frage kommenden Orten die Buchung für einen kürzeren Aufenthalt kurzfristig zu bekommen. Es ist daher unerläßlich, sich lange vor Abreise bei einem örtlichen Reisebüro zu informieren und möglichst vorauszubuchen. Falls dies nicht durchführbar erscheint, empfiehlt es sich dringend, sofort am Flugankunftsort feste Dispositionen zu treffen, die man am besten schon zu Hause detailliert vorausplant. Auch eine rechtzeitige Anfrage und Buchung bei den Informationszentren in Banff, ganzjährig, sowie Lake Louise, Mai bis Oktober, ist möglich.

Camping mit einem geliehenen Wohnmobil (Motorhome) löst gleichzeitig die Fortbewegungsfrage wie das sonst täglich brennende Problem nächtlicher Un-

terkunft. Es verleiht zudem Freizügigkeit, Flexibilität bei der Streckenwahl, die etwa bei unerwarteten Wetterbedingungen schnell bedeutungsvoll werden kann, und ist, so sehr bei erforderlicher Vorausbezahlung der Anschein dagegen spricht, bei weitem die billigste, praktischste und unabhängigste Art der Urlaubsgestaltung. Dies besonders in einem Land wie Kanada, wo die Entfernungen ungewohnt groß sind, das Benzin jedoch glücklicherweise relativ preisgünstig.
In Alberta ist der Kraftstoff deutlich billiger als in British Columbia oder anderen Provinzen, was man bei der Reiseplanung zu seinem Vorteil berücksichtigen kann.

Folgende *Campingplätze* stehen im Banff Nationalpark zur Verfügung:

Tunnel Mountain Village I, 4 Kilometer östlich Banff, mit 622 Stellplätzen, Waschanlagen und Toiletten sowie sanitärer Camper-Entsorgung.

Tunnel Mountain Village II, 2,5 Kilometer östlich Banff, mit 200 Plätzen, elektrischem Anschluß, Duschen und allen sanitären Einrichtungen, auch im Winter geöffnet.

Two Jack Main, 13 Kilometer nordöstlich Banff, mit 381 »sites«, 19 Küchenhäuschen (»kitchen shelters«), alle sanitären Einrichtungen und Camper-Entsorgung.

Two Jack Lakeside, neben vorigem gelegen, mit 80 Plätzen, 13 Küchenhäuschen und Sanitäranlagen.

Außerhalb des Stadtbereiches von Banff findet man weitere, gut ausgestattete Plätze in

Johnston Canyon, am Highway 1A, 26 Kilometer westlich von Banff Townsite, mit 140 Stellplätzen, sanitären Einrichtungen und Camper-Entsorgung.

Castle Mountain, am Highway 1A, nördlich von Banff an der Castle Junction, mit 44 Plätzen.

Protection Mountain, am Highway 1A, rund 12 Kilometer östlich von Castle Junction, mit 89 Stellplätzen, Toiletten und Entsorgung.

Lake Louise, am Trans-Canada Highway, mit 221 Stellplätzen, 163 trailer sites, 6 kitchen shelters, flush toilets und trailer sewage disposal.

Auf allen Plätzen wird die Belegung der verfügbaren Stellplätze streng in der Reihenfolge der Ankunft nach dem sogenannten »first come, first serve«-Prinzip vergeben sowie eine Tagesgebühr erhoben, die je nach Ausstattung des Camps verschieden hoch ist. Auf jeden Fall ist es also wichtig, während der Hochsaison nicht später als mittags anzukommen und sofort zu belegen. Dann hat man für den Rest des Tages genügend Zeit und Muße, sich in der Umgebung gründlich umzusehen, zu planen und das schöne Wetter auszunützen. Dies kann hier im Norden, oft erst am Nachmittag, zu einem Problemfaktor werden.

Das Klima

Wer im alpinen Bereich der nördlichen Halbkugel reisen will, muß auch im Sommer mit unstabilen Wetterverhältnissen rechnen. Daß dies für die Rocky Mountains von Kanada besondere Gültigkeit hat, sollte daher auch in einem Buch mit vielen Sonntagsbildern, die das Gegenteil suggerieren, nicht verschwiegen werden.
Hier kann es jeden Tag zu plötzlichen und nachhaltigen Wetterstürzen, Schneefällen und Frostperioden kommen, auch im Juli und August. Dies gilt für alle Parks der Rockies.
Regen- und winddichte Kleidung, wasserfeste Bergstiefel, Handschuhe und schützende Kopfbedeckung sind auch für kürzere Wandervorhaben unerläßlich. Es sei denn, man will die Naturschönheiten dieses Landes nur mit dem Wagen durchbrausen und durch die Windschutzscheibe besichtigen.
Trotz der sprichwörtlichen Unkalkulierbarkeiten kanadischen Gebirgswetters, welches man dort mit dem schönen Wort »rainshine« umschreibt, sollte kein Zweifel darüber entstehen, daß schon ein gerüttelt Maß persönlichen Pechs und ein anormales Jahr dazugehören, Kanada vorwiegend im Regen erlebt zu haben.
Das Klima von Banff speziell läßt während des Hochsommers zwar die angenehmsten Temperaturen, aber auch regelmäßige Niederschläge erwarten. Durch seine relativ südliche Lage und gemäßigte alpine Höhe weist er im Vergleich zu anderen Parks der Rockies mittlere klimatische Werte auf. Das stabilste Wetter stellt sich erst im September ein, mit herrlich gelb-strahlenden Espenwald-Landschaften im frühen Oktober, dann aber schon mit sicherer Aussicht auf Neuschnee.

Vegetation und Tierwelt

Schon auf den Spazierwegen der Banff-Townsite begegnet man in aller Regel nicht nur Kleinsäugern, wie Erdhörnchen, Eichhörnchen, Murmeltieren, sondern auch Rehen, Hirschen und in höheren Lagen auch Coyoten und Bergschafen. Einen Schwarzbär, der meist braun ist, zu sehen, erfordert schon etwas mehr Glück, obwohl diese auch in den Wohnstraßen gelegentlich nächtlich herumstreunen. Hingegen sind Grizzlybären nur selten und höchstens in der Nähe entlegener Gebirgswanderpfade zu beobachten. Zahlreiche Vogelarten, einschließlich der Seeadler, können an den benachbarten Vermilion Lakes gesehen werden, gelegentlich auch Elche, vorwiegend in der Morgen- oder Abenddämmerung.
Alle Tiere des Naturparks sind freie Wildtiere und stehen unter absolutem staatlichen Schutz, der zum Glück von fast jedermann sehr ernst genommen wird. Jede Belästigung der Tiere, wie sinnlose Nahaufnahmen oder auch Füttern der oft zutraulichen Arten, ist verboten, um sie vor Gesundheitsschäden zu bewahren.

Anschrift Superintendent
Banff National Park
Banff, Alberta TOL OCO, Canada, Telefon: (403) 762-3324

Jasper

Anfahrt und Zugang

Reist man mit dem Flugzeug an, bietet Edmonton die beste nationale Verkehrsanbindung für alle Rocky Mountain Parks, besonders aber das nahe Jasper. Auch Calgary kommt in Betracht, eignet sich aber eher für eine Fahrtroute von Süden her über Banff. Vancouver in British Columbia ist eine Weltstadt mit internationalem Flughafen. Charterflüge nach Jasper sind möglich von Hinton, Alberta, 64 Autokilometer östlich gelegen. Buslinien nach Jasper verkehren regelmäßig von Edmonton, Vancouver, Prince George und Prince Rupert, beide ebenfalls in British Columbia.
In der Hochsommersaison verkehrt eine private Buslinie zwischen Jasper und Banff. Auch Sightseeing Touren werden von beiden Städten aus angeboten.
Der Eisenbahnanschluß nach Jasper und Banff ist problemlos; in den größeren Städten der Umgebung findet der Reisende auch Leihwagen, die jedoch ebenso in den meisten kleineren Orten unter der Bedingung zu haben sind, daß man das Auto dorthin zurückbringt, was meist nicht praktisch ist.
Jasper erreicht man mit dem Auto auf dem Yellowhead Highway 16 etwa 370 Kilometer westlich von Edmonton, Alberta, oder 430 Kilometer nordwestlich Calgary via Banff über den Icefields Parkway 93.
Eine weitere Möglichkeit aus östlicher Richtung ist die Straße 11 von Red Deer aus, die bei Thompson Junction in die 93 einmündet.
Von Westen her kommt wohl fast ausschließlich die Zufahrt von Vancouver aus in Frage. Hier nimmt man den Trans-Canada Highway 1, der über Kamloops – Revelstoke – Golden durch den Revelstoke Nationalpark und Yoho Nationalpark zur 93 führt, und nach insgesamt 865 Kilometern Jasper erreicht.

Unterbringung

Jasper verfügt über gute Hotels, Motels, Lodges, Chalets sowie zahlreiche Restaurants und Schnellimbiß-Stätten. In der Sommersaison, die auch von den Europäern bevorzugt wird, ist jedoch rechtzeitige Vorausplanung und Buchung jeglicher vorgesehener Unterkünfte unerläßlich, will man nicht buchstäblich »im Regen stehen«.
Reisende mit geliehenen Campingfahrzeugen (möglich in Edmonton, Calgary oder Vancouver) sind hingegen völlig unabhängig, weil sie normalerweise kaum Schwierigkeiten haben dürften, einen Campingstellplatz zu finden. Folgende Campingplätze stehen im Jasper Park bereit (von Norden nach Süden):

»Pocahontas«:	140 Stellplätze; vom Highway 16 etwa 43 Kilometer östlich von Jasper auf die Miette Road südlich abbiegen; nach weiteren drei Kilometern folgt der Platz.
»Snaring River«:	60 Plätze; vom Highway 16 rund elf Kilometer östlich von Jasper auf die Snaring Road nördlich abbiegen, dann noch sechs Kilometer.
»Whistlers«:	758 sites; am Icefields Parkway (Highway 93), drei Kilometer südlich von Jasper gelegen.
»Wapiti«:	345 sites; am Icefields Parkway, fünf Kilometer südlich von Jasper; einziger Winter-Campground, geöffnet nur von Mitte Oktober bis Mitte Mai.
»Wabasso«:	238 sites; am Highway 93A, 16 Kilometer südlich von Jasper.
»Mount Kerkeslin«:	42 sites; am Icefields Parkway, 36 Kilometer südlich von Jasper.
»Honeymoon Lake«:	36 sites; am Icefield Parkway, 51 Kilometer südlich von Jasper.
»Jonas Creek«:	25 Plätze; am Icefields Parkway, 77 Kilometer südlich von Jasper.
»Columbia Icefield«:	22 sites; 109 Kilometer südlich von Jasper, am Highway 93.
»Wilcox Creek«:	46 sites; 110 Kilometer südlich von Jasper, am Highway 93.

Alle Campingplätze sind je nach Wetter etwa von Mitte Mai bis Mitte Oktober oder bis Schneefallbeginn geöffnet. Pocahontas, Snaring River, Wapiti und Wabasso schließen bereits am Labor Day, also am ersten Montag im September.
Einwandfreies Trinkwasser findet man nur auf den fünf großen Plätzen, ansonsten ist Mitnahme eines ausreichenden Vorrats empfohlen oder aber mindestens fünfminütiges Abkochen.
Außer im Stadtbereich von Jasper und in den dem Park vorgelagerten größeren Ortschaften bieten sich keinerlei Unterkunftsmöglichkeiten. Die wenigen nicht bereits lange vorausgebuchten Betten des Hotels am Columbia Icefield sind im Sommer täglich schnell vergriffen, so daß man sich besser nicht darauf verlassen sollte, an diesem bei gutem Wetter hervorragenden Platz verweilen zu können. Gleiches gilt für den südlichen Teil des Icefields Parkway im Banff National Park.

Klima, Saison, Vegetation, Tierwelt

Grundsätzliche Unterschiede in dieser Hinsicht zwischen dem Banff Nationalpark und dem Jasper Nationalpark bestehen nicht. Zwar liegt Jasper 300 Straßenkilometer nördlich von Banff, dafür aber 323 Meter niedriger. Bewölkte Tage gibt es öfter und die Niederschlagsmengen sind in Banff etwa zehn Prozent höher, die Jahresdurchschnittstemperatur etwa ein halbes Grad niedriger.

Yoho

Anfahrt und Zugang

Wer von Westen kommt, wird im allgemeinen mit dem Flugzeug nach Vancouver gereist sein. Bis zur Westgrenze des Yoho Nationalparks sind es von dort rund 1 050 Straßenkilometer, weitere 28 Kilometer bis zu der zentral im Park gelegenen Verwaltungsortschaft Field. Von Osten kommend sind es bis Field von Banff 82 Kilometer, von Jasper 247 Kilometer; von Calgary 220 Kilometer, von Edmonton 610 Kilometer. In allen vorgenannten Orten gibt es gute Fernreiseanschlüsse, touristische Einrichtungen, Unterkünfte, Leihwagen und Informationsmöglichkeiten.

Unterbringung

Obwohl innerhalb des Parks auch einige Motels, Hotels und Lodges bestehen, sollte man sich während der vorwiegend in Frage kommenden Sommersaison nicht auf diese Unterkünfte verlassen, da sie meist schon seit dem Vorjahr ausgebucht sind. Die zu bevorzugende Übernachtungsform ist hier, mehr noch als in einigen der anderen Parks, das Campen.
Folgende Campingplätze stehen innerhalb der Parkgrenzen zur Verfügung:

»Kicking Horse«, fünf Kilometer östlich von Field, mit 92 Stellplätzen, Duschen, WC, Sanitärstation für Campingfahrzeuge.

»Hoodoo Creek«, 23 Kilometer westlich von Field, 106 Plätze, WC, Sanitärstation.

»Chancellor Peak«, 24 Kilometer westlich von Field, am Flußufer gelegen, mit 64 »sites«, Trockentoiletten, einer (!) Trinkwasserpumpe.

»Takakkaw Falls«, 16 Kilometer der Yoho Valley Road aufwärts folgen, Wohnanhänger sind wegen zu enger Serpentinen nicht erlaubt, reizvoll gelegen, jedoch nur 35 »walk-in« sites, also kein Fahrzeugzugang, lediglich für Übernachtungen im Zelt gedacht.

Der landschaftlich schönste Zeltplatz liegt am 2012 Meter hohen Lake O'Hara, für dessen 30 »walk-in« sites eine Voranmeldung erforderlich ist, ebenso wie für den täglich die elf Kilometer lange Bergstraße dorthin bewältigenden Shuttle Bus. Zweifellos eine alpine Delikatesse.

Alle Camps verfügen über irgendeine Form der Trinkwasserversorgung. Auf den reinen Zeltplätzen sei jedoch das Abkochen des Wassers vor dem Genuß empfohlen, eine Umständlichkeit, der man durch Mitnahme eines ausreichenden Vorrats leicht begegnen kann.

Informationen erhält man an je einer nahe dem westlichen und östlichen Parkeingang gelegenen Warden-Stationen in Form von einfachem Anschauungsmaterial, Broschüren und Karten, ansonsten bei der Park Administration in Field.

Klima und Saison

Obwohl der Park ganzjährig geöffnet ist, allein deshalb, weil er sowohl von der 1884 begründeten Eisenbahn wie der seit 1927 bestehenden Straßenverbindung, dem Trans-Canada Highway über den Kicking Horse Paß durchkreuzt wird, werden die meisten Besucher die Sommermonate vorziehen. Diese sind auch klimatisch die sichersten und reizvollsten. Die geringsten Niederschläge allerdings kann man erst im Frühherbst erwarten. In den höheren Lagen ist Schneefall zu jeder Jahreszeit nicht ungewöhnlich, wetterfeste Bekleidung also immer ratsam, wozu natürlich auch festes Schuhwerk gehört.
Auch die Bereitstellung ausreichender Nahrungsmittelreserven sei empfohlen, da eine zusätzliche Versorgung innerhalb des Parks selbst während der Hochsaison schwierig sein kann. Lediglich bei Field existiert am Eingang zum Kicking Horse Campground ein kleiner »General Store«.

Kootenay

Anfahrt und Zugang

Der Park wird in ganzer Länge von dem 1923 vollendeten Banff-Windermere Parkway 93 erschlossen, einer 105 Kilometer langen, großzügig trassierten und wenig befahrenen Aussichtsstraße. Die beiden Ausgangspunkte für den Parkbesuch sind die Ortschaften Radium im Südwesten (mit allen touristischen Einrichtungen) und Banff, im gleichnamigen Nationalpark (siehe Seite 28).
Radium liegt 140 Kilometer nördlich von Cranbrook, von Vancouver etwa 890 Kilometer entfernt und je nach Routenführung auf verschiedene Weise in landschaftlich abwechslungsreicher Fahrt innerhalb von zwei Tagen erreichbar.
Wer von Osten her anreist, wird am besten über Banff fahren, von wo es bis zum nordöstlichen Parkeingang nur 30 Kilometer sind. Er kann dann den gesamten Banff-Windermere Parkway bis Radium fahren, dort nordwärts auf dem Highway 95 entlang dem seenreichen Columbia Valley bis Golden (103 Kilometer), von wo es auf dem Trans-Canada Highway 1 durch den Yoho Nationalpark nur noch 80 Kilometer bis zum Erreichen des Icefields Parkway 93 bei Lake Louise sind. Auch in Golden ist volle touristische Versorgung gewährleistet.

Unterbringung

Im Park selbst gibt es keine Hotels oder sonstige Unterkünfte, wohl aber in den angrenzenden größeren Orten, wie Radium, Lake Louise oder Banff (siehe dort).
Wer sich im Kootenay-Park genauer umschauen will, kann dies kaum innerhalb eines Tages schaffen, weshalb sich wiederum Campen als Alternative anbietet. Vier Campingplätze unterschiedlicher Ausstattung stehen zur Verfügung:

»Redstreak«, 242 Stellplätze; einziger Platz mit »full service«, etwa drei Kilometer östlich von Radium.

»Mc Leod«, 98 Plätze, »semi serviced«, also ohne Duschen, 28 Kilometer nördlich von Radium.

»Marble Canyon«, ebenfalls ohne Duschen, 61 Plätze, 86 Kilometer nördlich von Radium, mit dem Vorteil, daß in der Nähe die Sehenswürdigkeiten Marble Canyon und Paint Pot liegen.

Der *»Dolly Varden* Campground« ist nur primitiv ausgestattet, allerdings als einziger (nur) im Winter geöffnet. Er liegt ungefähr auf halber Wegstrecke durch den Park und ist von Süden leichter erreichbar.

Klima und Vegetation, Tiere und Pflanzen

Gegenüber den ausgeprägt alpinen Parks Banff und Jasper ist das Klima im Kootenay deutlich milder, da ganzjährig westliche Winde vorherrschen. Dies bringt allerdings auch höhere Feuchtigkeit, Bewölkung und Gesamtniederschläge mit sich. Ganzjährig herrschen im Südwesten günstigere Bedingungen vor als in den höher gelegenen Bereichen des Nordostens.
Je nach Höhe zeichnet sich der Park durch im Spätsommer üppig blühende Alpenmatten, artenreiche Mischwälder, grünschimmernde Bergseen und gletscherbesetzte Gipfelketten aus.
Bären wird man auf den Bergpfaden nur selten begegnen, allenfalls einem Schwarzbär, kaum jedoch einem Grizzly. Hingegen sind Coyoten auch hier weit verbreitet wie auch Hirsche, Rehe, Bergschafe und weiße Wildziegen. Über 150 verschiedene Vogelarten wurden hier bisher beobachtet, ebenso fast alle Arten von in Nordamerika heimischen Nagern und Kleinsäugetieren.

Anschrift

Superintendent
Kootenay National Park
Radium Hot Springs, B. C.
VOA 1MO, Canada
Telefon: (604) 347-9615

Waterton

Anfahrt und Zugang

Im amerikanischen Teil des Parks bieten sich vor allem – in südnördlicher Reihenfolge – der Two Medicine Lake, der St. Mary und der Sherburne Lake, die Seen Swiftcurrent und Josephine sowie die sie umgebenden Täler für einen Besuch an.
Über den Logan Paß (2026 Meter) erreicht man auf der Going-To-The-Sun-Road dem 15 Kilometer langen und 145 Meter tiefen Lake McDonald, den größten See des Parks, wo sich bei West Glacier/Apgar auch das Hauptbesucherzentrum des Glacier Nationalparks befindet.
Aus nordöstlicher Richtung ist der kanadische Waterton-Park von Calgary, Alberta, aus über die Alta. 6 durch Pincher Creek oder auf der Alta. 2 und 5 über Cardston erreichbar, wobei die Alta. 5 von Lethbridge her zuführt. Von Calgary sind es 262 Kilometer, von Lethbridge 135 Kilometer. Diese Straßen enden in der Waterton Park Townsite, einer kleinen Verwaltungssiedlung mit Tankstellen, Unterkunftsmöglichkeiten und Lebensmittelversorgung wie auch einem schön angelegten Campground mit 230 Stellplätzen, Trinkwasser und allen sanitären Einrichtungen, der vom Cameron River durchflossen wird.
Die landschaftlich abwechslungsreiche Verbindungsstraße zwischen dem kanadischen Parkteil und den Ostzugängen des amerikanischen Südteiles ist der Chief Mountain International Highway, MT 17, welcher bei Babb im US-Bundesstaat Montana in die US 89 einmündet. Der Highway ist meist von Mitte September bis Mitte Mai wegen Schnees geschlossen; in der Sommersaison ist die Grenzzollstelle von 7–23 Uhr geöffnet.
Von der US 89 zweigen folgende wichtige Straßen ab: In Babb die Straße nach Many Glacier (20 km); in St. Mary die den Park kreuzende Going-To-The-Sun-Road über den Logan Paß sowie von Kiowa die MT 49, entlang dem Lower Medicine Lake nach Two Medicine mit gleichnamigen See (25 km), eine ziemlich kurvige, aber interessante Straße.
Im Süden wird der Glacier Nationalpark von der US 2 umfaßt, die ebenfalls zum Westeingang bei Apgar führt und bei Unbefahrbarkeit des Logan Passes im Winter die einzige Verbindung zwischen West Glacier/Apgar und East Glacier darstellt.

Einrichtungen und Versorgung

Im Waterton Park bestehen auf kanadischer Seite keine eigentlichen Besucherzentren, jedoch bieten ein Information Office am Eingang der Townsite rechterhand sowie ein Büro der Parkverwaltung im Ort selbst Auskunftsmöglichkeiten.

Auf amerikanischer Seite, also im eigentlichen Glacier Park (USA), finden sich bei Apgar ein Besucherzentrum und der Hauptsitz der Parkverwaltung.

Unterkünfte

In allen dem Waterton Nationalpark nördlich vorgelagerten Städten, wie Lethbridge und Pincher Creek, findet man Unterkünfte relativ mühelos, in Calgary auch ganzjährig. Im Prince of Wales-Hotel in Waterton ist Übernachtung nur in der Sommersaison möglich, etwa bis Labor Day. Rechtzeitige Anmeldung sehr anzuraten. Auskünfte erteilt: Waterton Chamber of Commerce, Waterton Park, Alberta, TOK 2MO; in den USA: Glacier Park Inc., East Glacier, MT 59434.
Auf der amerikanischen Westseite finden sich Motels in Whitefish, Kalispell, Polson und Missoula sowie östlich des Parks in Browning und Cutbank, alle in Montana gelegen.
Flugverbindungen bestehen nach Lethbridge, Pincher Creek und Calgary in Kanada, während auf der amerikanischen Seite des Doppelparks Great Falls und Kalispell Anschluß bieten. Dort sind auch überall Leihwagen erhältlich.
Campingplätze findet man auf kanadischer Seite in Waterton Townsite (230 sites), Crandell (130) und Belly River (24), also insgesamt nur 384 Stellplätze, die während der Saison auf der »first come, first serve«-Basis schnell ausgebucht sind.
Auf amerikanischer Seite sind acht Campgrounds gut erreichbar: In Apgar (196 Stellplätze), Avalanche (87), Fish Creek (180), Rising Sun (83), St. Mary (156) und Two Medicine (99). Alle Plätze sind voll versorgt und für Camping-Trailer bis acht Meter Länge zugänglich. Nur *»Sprague Creek Camp«*, mit 25 Plätzen, ist für Wohnanhänger gesperrt, jedoch für andere Campingfahrzeuge offen.
Etwa sechs Kilometer nördlich des Waterton-Parkeingangs liegt ein privater Campingplatz an der Alta. 6, der *»Homestead Campground«*.

Anschrift Superintendent
Waterton Lakes National Park
Waterton Park, Alberta,
TOK 2MO, Canada
Telefon: (403) 859-2262

Mount Revelstoke

Anfahrt und Zugang

Das Städtchen Revelstoke liegt 457 Meter hoch an der Kreuzung des Trans-Canada Highway 1 mit dem nordsüdlich verlaufenden Highway 23. Westlich liegt Kamloops 209 Kilometer entfernt, Vancouver 631 Kilometer, von Golden im Osten sind es 148 Kilometer, von Glacier nach Revelstoke 55 Kilometer.

Unterbringung

Revelstoke und Golden, beide in British Columbia gelegen, verfügen über allen Komfort für Touristen, während sich innerhalb der Parkgrenzen keinerlei Möglichkeiten der Unterkunft oder auch nur der Verpflegung finden, nicht einmal ein Campingplatz.

Anschrift

Superintendent
Mount Revelstoke and
Glacier National Parks
P. O. Box 350
Revelstoke, B. C.
VOE 2SO, Canada
Telefon: (604) 837-5155

Direkte Informationen sind beim Administration Office in Revelstoke, Gebäude des Post Office, Ecke 3rd St. West und 301 Campbell Avenue erhältlich.

Wildtiere der Rocky Mountains

Die meisten Besucher der kanadischen Rocky Mountains, vor allem solche aus Übersee, werden wahrscheinlich nicht nur um der landschaftlichen Schönheiten willen und wegen der Andersartigkeit dieser Gebiete ihre Reise geplant haben, sondern sich auch auf Begegnungen mit freilebenden Tieren freuen.
Für den Europäer bedeutet der größte Teil der amerikanisch-kanadischen Tierwelt auch deshalb eine völlig neue und faszinierende Erfahrung, weil fast alle Arten, die man in den Rockies antrifft, in der Alten Welt entweder nie heimisch waren, oder aber längst vom Menschen verdrängt, durch Bejagung ausgerottet wurden oder durch den Verlust ihrer natürlichen Lebensräume ausgestorben sind.
Um jedem Touristen gewisse Grundkenntnisse zu vermitteln, die wichtig werden, wenn er in freier Natur unvermittelt bisher unbekannten Tieren begegnet oder gar mit ihnen konfrontiert wird, sei hier einiges gesagt, was zur Bestimmung der Arten, dem Verständnis ihrer Lebensweise und ihrem natürlichen Verhalten nützlich erscheinen mag.

Die Nager

Auf dem gesamten nordamerikanischen Kontinent sind mehrere Arten von Nagetieren verbreitet, denen man in Europa nicht, oder nicht mehr begegnen kann. Vor allem Kleinnager werden infolge ihrer großen Anpassungsfähigkeit an die unterschiedlichsten Klimaverhältnisse und Ernährungsbedingungen fast überall angetroffen und wegen ihres häufig zutraulichen Wesens von den Touristen besonders geschätzt.
Aus praktischen Gründen soll für den zoologischen Laien hier nicht streng einer Artensystematik gefolgt, sondern die Körpergröße bei der Einordnung dieser Tiere zugrundegelegt werden.
Verständlicherweise können hier auch nur die häufigsten und interessantesten Tiere kurz besprochen werden. Wer sich näher informieren will, besorge sich im Lande eines der ausführlichen und preiswerten Büchlein (»Field Guides«), die es über Säugetiere, Vögel, Reptilien, Bäume oder Sträucher in jeder Buchhandlung oder an den Schaltern der Informationszentren der Nationalparks zu kaufen gibt.
Der Einfachheit halber seien hier nur die englischen Tiernamen angeführt, die lateinischen jeweils in Klammern. Dies erleichtert die Verständigung mit dem Parkpersonal, anderen Touristen wie auch das Verständnis der vielen erklärenden Tafeln und Ausstellungsstücke in den Museen, auf Aussichtspunkten oder an den Naturlehrpfaden.

Pika (Ochotona princeps)

Sie leben vorwiegend in größeren Höhen, an Felshalden, nahe der Baumgrenze, weiter subarktisch bis in Seehöhe. Die Körpergröße beträgt 15–21 Zentimeter, das Fell ist von grauer bis gelbbrauner Farbe. Auffälligste Unterscheidungsmerkmale zu anderen weitverbreiteten Kleinnagern, wie Chipmunks und Ground Squirrels, sind das Fehlen eines sichtbaren Schwanzes und die kleinen rundlichen Ohren.
Sie gehören zur Familie der Hasen (Lagomorpha), sind ausschließlich tagaktiv und halten keinen Winterschlaf. Man trifft sie nur selten, da ihr alpiner Lebensbereich weit entfernt von menschlichen Aufenthaltsorten liegt.
Wenn sie beobachtet werden können, sind sie meist emsig damit beschäftigt, Gräser anzuhäu-

fen, um sie in ihren unterirdischen Kolonien als Winterfutter zu deponieren. Der in den kurzen Sommerwochen zu erntende Futtervorrat muß für den bitteren Winter dieser Höhenlagen ausreichen. Bei Störung stoßen sie eine Serie kurzer hoher Schreie aus und können derart schnell unter Felsblöcken verschwinden, daß das Auge kaum zu folgen vermag.
Zwei bis fünf Junge werden im Mai/Juni und Juli/August geboren. Ihre Tragzeit beträgt 30 Tage.
Es ist äußerst schwierig, sie zu fotografieren.

Chipmunk (Eutamias – Erdhörnchen)

Von diesen, auch in anderen Teilen der Welt heimischen, in Deutschland Streifenhörnchen genannten Spezies trifft man in den Rockies zwei verschiedene Unterarten an, die gemeinsam haben, daß nicht nur der Körper, sondern auch der Kopf eine auffällige, farbunterschiedliche Längsstreifung besitzt. Bei einigen setzt sich das hübsche Streifenmuster sogar bis zum Ende des buschigen langen Schwanzes fort.

Least Chipmunk (Eutamias minimus)

Dieser Nager findet sich vorwiegend östlich der Rocky Mountains-Wasserscheide. Es ist 9–11 Zentimeter groß, wiegt 25–60 Gramm und ist von graubrauner bis gelblichgrauer Farbe, wobei die Streifen tiefbraun bis schwarz ausfallen, je nach Unterarten und örtlichem Auftreten. Beim Laufen wird der Schwanz steil aufwärts gerichtet. Die Tragzeit beträgt 31 Tage bei meist zwei Würfen von 2–6 Jungen pro Jahr.
Diese in bezug auf Höhenlage und nördliche Breite am besten angepaßte Gruppe ist zugleich die kleinste und am meisten variable.
Die Ernährung besteht vorwiegend aus Gräsern, Samen, Früchten, Nüssen, Insekten und Fleisch, aber auch aus Dingen, die auf Campingplätzen abfallen und angeboten werden. Deshalb, und vor allem wegen ihrer Geselligkeit, sind sie das Entzücken vieler Touristen.
Ein geschickter Baumkletterer, lebt dieses Streifenhörnchen meist unter Felsen, Baumstümpfen oder alten Stämmen, wo es sich kleine Höhlen gräbt, in denen es auch seinen Winterschlaf hält.

Yellow Pine Chipmunk
(Eutamias merriami)

Dieses Streifenhörnchen lebt vorwiegend westlich der Rocky Mountains-Wasserscheide und ist mit 11–13 Zentimeter Körperlänge deutlich größer als das vorerwähnte. Es wiegt 40–70 Gramm, ist von hellerer graubrauner Farbe und hat farblich ausgeprägte Seitenstreifen, dabei dunkle Stellen vor den Ohren, weißliche dahinter. Die Unterseite des Körpers wie des Schwanzes ist lohfarben. Die Lebensräume und Ernährungsgewohnheiten gleichen denen des Least Chipmunk. Es lebt in selbstgebauten, bis zu einem Meter langen unterirdischen Gängen und hält in höheren Lagen Winterschlaf von November bis März.
Ein einmaliger Wurf pro Jahr bringt im Mai durchschnittlich 5–7 Junge, die nackt und blind geboren werden, jedoch nach sechs Wochen selbständig sind.

Ground Squirrels
(Citellus – Erdhörnchen)

Von den vielen Arten der nordamerikanischen Erdhörnchen trifft man in den Bereichen der Rocky Mountain-Nationalparks von Kanada vorwiegend drei an:
Das Townsend Ground Squirrel in den südlichsten Bereichen des Kananaskis Parks, wo auch das Richardson Ground Squirrel zu finden ist, während das Columbian Ground Squirrel praktisch in allen Arealen der hier beschriebenen Parks und fast bis zu den Baumgrenzen hinauf beobachtet werden kann.

Columbian Ground Squirrel
(Citellus columbianus)

Es hat 25–30 Zentimeter Körperlänge bei einem Gewicht von 350–800 Gramm und ist bei sonst graubraun gesprenkeltem Fell leicht an der rotbraunen Färbung seiner vorderen Kopfpartie, seinen tiefrötlichen Pfoten und Beinen sowie seinem buschigen Schwanz zu erkennen. Diese oft sehr zutraulichen Tierchen leben in kleinen Kolonien, bauen Höhlengänge, die gemeinsam bewacht werden und in denen sie den Sommer über Gräser und Samen verstauen. Ihr Winterschlaf beginnt je nach Höhenlage oft schon im Juli/August und endet frühestens im Februar. Im März werden nach einer Tragzeit von 24 Tagen meist 2–7 Junge geboren.

Tree Squirrels

Baumhörnchen, unseren Eichhörnchen eng verwandt, finden sich im Bereich der Rockies vorwiegend in zwei Arten, die jedoch beide etwas kleiner sind als die europäischen und auch seltener anzutreffen. Klimatische Härte und die Unzugänglichkeit der ausgedehnten kanadischen Wälder mögen hierfür ursächlich sein.

Red Squirrel (Tamianus hudsonicus)

ist ein 18–20 Zentimeter langes, auch Spruce Squirrel genanntes Baumhörnchen von 200–250 Gramm Gewicht.
Die Farbe seines Fells ist rötlich oder gelblich, blasser im Winter und mit einem schwarzen Seitenstreifen im Sommer. Der Schwanz ist, wie bei seinen größeren Artgenossen, ausgesprochen buschig.
Das Tier lebt vorwiegend in den Wäldern, aber auch in Feuchtbiotopen, und ernährt sich, ohne einen Winterschlaf zu halten, vorwiegend von Samen, Nüssen, Eiern, Koniferenzapfen und Pilzen. Es hält sich in Baumhöhlennestern auf, ist tagaktiv und bevorzugt die paarweise Gemeinschaft. Nach einer Tragzeit von 38 Tagen werden im April/Mai und August/September je 2–7 Junge geboren. Die Tiere können bis zu zehn Jahren alt werden.

Northern Flying Squirrel
(Glaucomys sabrinus)

Dieses Baumhörnchen ist eng verwandt mit dem kleineren Southern Flying Squirrel (Glaucomys volans), welches ausschließlich in den Laub- oder Mischwäldern der östlichen und südlichen Teile des Kontinents heimisch ist. Beide sind nur nachts aktiv. Das Northern Flying Squirrel wird 14–16 Zentimeter groß, der Schwanz weitere 11–14 Zentimeter lang, bei einem Durchschnittsgewicht von 115–185 Gramm.
Sein Fell ist olivbraun auf der Oberseite, während die Haarspitzen der Bauchseite silbrig erscheinen. Seinen Namen verdankt es einer beidseitigen losen Hautfalte von den Vorder- zu den Hinterpfoten entlang des Rumpfes, die sich beim Ausstrecken der Extremitäten spannt, wodurch nach dem Absprung ein Gleiten zwischen weit entfernten Ästen ermöglicht wird. Diese Fähigkeit findet man, außer bei Fledermäusen, bei keinem anderen Säugetier des Kontinents.

Hoary Marmot (Marmota caligata)

Das eisgraue Murmeltier ist die einzige Art dieser Gattung, die in den kanadischen Rocky Mountains vorkommt. Alle anderen Tiere dieser Großfamilie wie Woodchucks (Marmota monax) und Prairie Dogs (Cynomis gunnisoni/ludovicianus) kommen nur in niedriger gelegenen südöstlichen Gegenden vor.
Das Hoary Marmot, wegen seiner Fähigkeit zum Ausstoßen schriller Pfiffe auch »Whistler« genannt, hat einen weißgrauen Kopf mit zu den Schultern verlaufenden schwarzen Streifen, während der Körper hellgrau mit gelblichen Übergangszonen ist. Die Pfoten sind stets schwarz und die Körperunterseite von gedecktem Weiß. Aufgrund dieser typischen Färbungsmerkmale ist es unverwechselbar.
Sein Körper erreicht eine Größe von 45–55 Zentimetern, der Schwanz zusätzliche 18–25 Zentimeter bei Gesamtgewichten von 3,5 bis 9,0 Kilogramm. Man findet diese wachsamen Tiere, die sich von alpinen Pflanzen und Früchten ernähren, vorwie-

gend an Felshängen, Bergwiesen und entlegenen bewachsenen Arealen nahe der Baumgrenze.
Der Winterschlaf, an dessen Ende 4–5 Junge geboren werden, dauert meist von September bis Mai/Juni.
Da sie sich an die Anwesenheit des Menschen in ihrem Revier gewöhnen können, hat der Bergwanderer viel Freude an ihnen.

Snowshoe Hare, Jackrabbit
(Lepus americanus)

Die einzige Hasenart im Bereich der Nationalparks ist der im Vergleich zum europäischen Feldhasen deutlich kleinere Jackrabbit, im Aussehen eher unserem Karnickel vergleichbar, schon wegen seiner viel kleineren Ohren. Er erreicht eine Größe von 35–45 Zentimetern und wird bis 1,8 Kilogramm schwer. Sein Fell ist im Winter, und wo der Hase im Gebiet ewigen Schnees lebt, völlig weiß mit gelblichem Unterton, im Sommer hingegen dunkelbraun. Die Pfoten sind auffällig groß (deshalb auch der Name »Schneeschuh-Hase«).
Sein Lebensraum sind Wälder, Feuchtgebiete und Dickichte, vorwiegend in den westlichen Bergen. Er ernährt sich im Sommer von saftigen Pflanzen und Succulenten, im Winter von Knospen, Zweigen und Rinde.
Nach einer Tragzeit von 37 Tagen werden jährlich zwei- bis dreimal 2–7 Junge geboren.
Das Tier ist fast ausschließlich nachtaktiv, so daß man ihm selten begegnet.

Porcupine (Erethizon dorsatum)

Das Stachelschwein ist außer im Südosten und den subarktischen Teilen des Kontinents praktisch überall zu Hause, daher auch in den Rocky Mountains relativ häufig anzutreffen. Es ist ein kurzbeiniges, sich mit seinem unförmigen Körper nur schwerfällig fortbewegendes Tier, das außer einer fellartigen gelblichen Behaarung rundum einen dichten Besatz von langen, starken Stacheln trägt. Bei 45–55 Zentimetern Größe kann es 5–12 Kilogramm schwer werden. Es lebt fast ausschließlich in Wäldern, ist vorwiegend nachtaktiv und kann bei Tag bestenfalls auf oder zwischen Baumästen als dunkler Klumpen schlafend beobachtet werden. Dorthin pflegt es sich auch mit ungeschickt anmutenden Kletterkünsten zu flüchten, wenn es unversehens am Boden angetroffen wird.
Das amerikanische Stachelschwein ernährt sich von Knospen, Zweigen, weicher Rinde und liebt das Salz, weshalb es oft auch an Straßenrändern schleckend beobachtet werden kann. Es lebt in hohlen Baumstümpfen oder Erdlöchern und hält keinen Winterschlaf. Nach einer Tragzeit von sieben Monaten wird im April/Mai nur ein Junges von etwa 450 Gramm Geburtsgewicht geworfen, welches erst nach drei Jahren geschlechtsreif ist.

Beaver (Castor Canadensis)

Der Biber ist die einzige Art seiner Familie, die bis ins frühe Oligozän zurückverfolgt werden kann.
Das Fell ist von dunklem Braun, der unbehaarte Schwanz von paddelartiger flacher Form. Das sich damit im Wasser geschickter als auf dem Lande fortbewegende Tier erreicht Größen von 65–75 Zentimetern und wird bis 27 Kilogramm schwer. Mit seinen mächtigen Frontzähnen kann es Bäume von erstaunlicher Dicke fällen, um sich von der Rinde und den Zweigen von Weiden, Espen, Birken, Pappelarten und Ahorn zu ernähren. Aus den Stämmen und Ästen errichten die Biber Staudämme in Flüssen, in denen sie ihre Burgen errichten, die meist nur von unterhalb des Wasserspiegels zugänglich sind.
Der Biber ist vorwiegend nachts aktiv. Nach 128-tägiger Tragzeit werden einmal im Jahr im April/Juli meitens 2–6 Junge geboren, die mit zwei Jahren die Familie verlassen. Durchschnittlich werden in Freiheit Lebensalter bis zu zehn Jahren erreicht, in Gefangenschaft werden die Tiere oft noch älter.
Biber werden in den entsprechenden Parkregionen in den Dämmerstunden nicht selten angetroffen. Hinweise auf ihr Vorhandensein geben die unübersehbaren Dammbauten und die Stümpfe gekappter Bäume.
Verwandte Arten sind der Flußotter, die Bisamratte und die Nutria, die jedoch selten auftreten.

Auch der Waschbär (Raccoon/Procyon lotor) und das Ringtail (Bassariscus astutus), anderen Familien zugehörig, kommen hier praktisch nicht vor, jedoch kann man mit viel Glück im äußersten Süden (Peter Lougheed Provincial Park) dem nachtaktiven, schwarzweiß gestreiften Dachs (Taxidea taxus) begegnen.

Woelverine (Glutton/Gulo luscus)

Der Vielfraß , ein ungewöhnliches Tier von 75–80 Zentimeter Größe und bis zu 30 Kilogramm Gewicht, einem mit hellem Seitenstreifen gekennzeichneten dunkelbraunen Fell, hellerfarbigem Kopf und buschigem Schwanz könnte man am ehesten mit einem Jungbären verwechseln, es ist jedoch weit aggressiver als diese.
Es lebt nur in höheren Berggegenden, nahe der Baumgrenze und in Tundragebieten, als eines der letzten wirklich wilden Tiere.
Der tag- und nachtaktive Allesfresser ernährt sich von Fleisch, Eiern, Larven, Beeren, raubt Fallen oder Nahrungslager der Trapper bei seinen ausgedehnten Streifzügen nach Nahrung jeglicher Art.
Alle 2–3 Jahre werden im Februar/April meist 2–3 Junge geboren. Lebensalter bis zu 15 Jahren wurden beschrieben. Bei zufälligen, für den Touristen unwahrscheinlichen Begegnungen mit diesem unberechenbaren Tier ist absolute Zurückhaltung geboten.

Red Fox (Vulpes fulva)

Von den diversen Fuchsarten kommt in den Rockies nur der Rotfuchs vor, der dem gleichnamigen europäischen eng verwandt ist. Sein Fell kann sehr unterschiedliche Farben aufweisen: rotbraun, schwarz oder braungrau, wobei die Bauchseite stets deutlich heller ist, die Schwanzspitze fast weiß und die Pfoten schwarz. Von diesen hauptsächlichen Färbungen kommen die verschiedensten Mischfarben vor.
Das Tier erreicht eine Größe von 50–65 Zentimetern, der buschige Schwanz noch einmal 35–40 Zentimeter, und Gewichte zwischen fünf und sieben Kilogramm.

Der Red Fox ist hauptsächlich nachts aktiv, aber auch noch in der Dämmerung. Er ernährt sich vorwiegend von Kleinsäugern, Mäusen bis Hasen, auch Insekten, Beeren und Früchten, besonders gerne jedoch, auch auf diesem Kontinent, von wildem oder domestiziertem Geflügel.
Sein Revier, das 500 Hektar überschreiten kann, umfaßt oft erstaunliche Flächen, wobei er erhebliche Tagesstrecken bei der Nahrungssuche auf sich nimmt.
Nach 51 Tagen Tragzeit kommen gewöhnlich einmal jährlich im März/April 4–9 Junge zur Welt, die den elterlichen Erdhöhlenbau im Herbst verlassen.
Die ökologische Bedeutung des Rotfuchses ist bei Jägern und Farmern stets umstritten gewesen, je nachdem, ob sein Wirken im Töten einiger Fasane, Hühner oder Hasen gesehen wird, oder in der Vernichtung von Hunderten von Ratten und Mäusen.
Man kann dem Rotfuchs in allen Rocky Mountain-Parks regelmäßig begegnen.

Coyote (Canis latrans)

Der Kojote ist als äußerst anpassungsfähiges Tier außer in den nordöstlichsten Bereichen auf dem gesamten nordamerikanischen Kontinent vertreten.
Äußerlich einem jungen Schäferhund sehr ähnlich, ist sein Fell von mittelgrauer Farbe, strähnig durchsetzt von rötlichem Schein, mit rostbraunen Beinen, Pfoten und Ohren. Halsvorderseite und Bauch sind weißlich.
Bei einer Durchschnittsgröße von 80–95 Zentimetern und einer Schwanzlänge von 30–40 Zentimetern erreicht er ein Gewicht von 10–20 Kilogramm.
Der Kojote ist an sich ein nachtaktives Tier, kann jedoch auch zu jeder Tageszeit unterwegs sein, um sich so den Lebensgewohnheiten seiner Opfer anzupassen. Diese sind alle ihm zugänglichen Kleintiere, aber auch Wild, welches er manchmal zu zweit bis zu dessen Ermüdung jagt und durch einen Biß in die Kehle erlegt.
Sein Revier um die gewöhnlich unterirdischen Baue oder natürlichen Schutzräume umfaßt nur

relativ geringe Entfernungen, selten mehr als zehn Kilometer von der nächsten Wasserstelle. Dennoch legt das Tier auf der Nahrungssuche Entfernungen bis zu 150 Kilometer täglich zurück.
Der Kojote, der sich auch mit Haushunden kreuzen kann, bekommt nach einer Tragzeit von 60–63 Tagen im April/Mai meist 5–10 Junge, die sich schon im Frühherbst verselbständigen.
Seine Bedeutung innerhalb der freien Tierwelt wird, wie beim Rotfuchs, unterschiedlich beurteilt. Landesweite Versuche, seine Zahl zu dezimieren, sind bis heute, zum Glück für die ökologische Gesamtbalance, fehlgeschlagen.
Begegnungen mit Kojoten in den Parks sind keine Seltenheit, wobei er sich dem Menschen gegenüber meist recht gelassen zeigt.

Grey Wolf/Timber Wolf
(Canis lupus)

Der Grauwolf ist der einzige seiner Spezies, den man in den Parks zu Gesicht bekommen kann. Sein Bestand ist jedoch im letzten Jahrhundert stetig zurückgegangen. Die Gründe hierfür sind klar: Der Mensch stellt ihm bis heute in falschem Naturverständnis unerbittlich nach.
Das stattliche Tier mit 110–125 Zentimetern Körpergröße, Schwanzlängen bis 50 Zentimeter und Schulterhöhen von 65–70 Zentimeter erreicht ein Gewicht von über 50 Kilogramm.
Sein Fell ist normalerweise mittel- bis schwarzgrau, in arktischen Bereichen aber auch weißlichhell. Obwohl seine Ohren rundlicher und kleiner sind als beim Coyoten, der Kopf insgesamt breiter und der Körperbau deutlich massiver, könnte er leicht mit einem deutschen Schäferhund verwechselt werden, zu dem nahe Verwandtschaft besteht. Kreuzungen kommen nicht selten vor.
Seine größte Aktivität, häufig in Rudeln bis zu zwölf Tieren, entfaltet der Grauwolf bei Nacht, aber auch tagsüber ist er oft anzutreffen. Er ernährt sich vorwiegend von der Jagd auf Säugetiere und Vögel, ist also fast ausschließlich fleischfressend. Selbst größeres Wild, wie Bergschafe und Rehe, gehören zu seinem Speiseplan. Sogar Karibus und Elche, letztere jedoch nur wenn sie alt oder durch Krankheit geschwächt sind, werden von Wölfen erfolgreich angefallen. Auf diese Weise entsteht ein natürliches biologisches Gleichgewicht, in das der Mensch nach Jahrzehntausenden in bedenklicher Weise eingegriffen hat.
Nach 9 Wochen Tragzeit werden gewöhnlich im Mai etwa 6–7 Junge geboren.

Mountain Goat
(Oreamnos americanus)

Die weiße Bergziege oder Schneeziege gehört zu den typischen Vertretern der alpinen Bergwelt der kanadisch-amerikanischen Rocky Mountains und ist, da sie in der Alten Welt nicht vorkommt, für den europäischen Touristen von besonderem Interesse.
Diese Tierart, die auf spärliche Nahrung bietenden Geröllhalden und Felshängen nahe der Schneegrenze ihr Auskommen findet, hat ein dichtes, langes weißes Fell, einen deutlichen, manchmal dunkleren Bart, schwarze, schlanke Hörner, die leicht nach hinten gebogen sind sowie schwarze Hufe.
Von seltenen Einzelgängern abgesehen, sieht man meist Gruppen von etwa zehn Tieren, die nur im Winter auf Höhen unterhalb der Baumgrenze herabkommen.
Sie sind reine Pflanzenfresser, werden 90–110 Zentimeter groß und bis 150 Kilogramm schwer. Erst mit zweieinhalb Jahren fruchtbar, bringen sie im Mai/Juni gewöhnlich 1–2 Junge zur Welt, die sich schon bald in den Kletterkünsten der Eltern zu üben beginnen.
Infolge ihrer Angepaßtheit an größere Höhen und karge Regionen, kommen sie nur in den hochalpinen Parks Banff und Jasper vor, wo man sie mit einem guten Fernglas an den von ihnen bevorzugten Plätzen beobachten kann.

Bighorn Sheep (Ovis canadensis)

Das Bergschaf, auch Dickhornschaf genannt, ist eine der wesentlichen Publikumsattrakionen der Nationalparks, weil es sich nicht nur seinen eigentlichen Lebensgewohnheiten entsprechend in einsamen Gebirgshöhen aufzuhalten pflegt, sondern

sich im Laufe des Jahrhunderts an die Begegnung mit Menschen gewöhnt oder gar angepaßt hat.
An vielen Straßen der Parks, vor allem in Kootenay, Banff und Jasper, kann man diese Tiere meist in Rudeln sehen oder gar von ihnen offensichtlich um Nahrung angebettelt werden. Dies geht gelegentlich so weit, daß sie in die geöffneten Autos einzusteigen versuchen, oder auf die Kühlerhaube oder den Kofferraumdeckel hinaufklettern.
Das mag nicht jedes Autofahrers Geschmack treffen, aber Beschädigungen des Lackes sind unwahrscheinlich, da die Füße der Bergschafe feine Polster tragen, mit Hilfe derer sie überhaupt erst imstande sind, ihre gewagt scheinenden Kletterkünste und Sprünge im steilen Felsgelände sicher auszuführen.
Das Erscheinungsbild dieser Wildschafe ist nach Geschlecht und Alter deutlich verschieden. Weibliche und junge Tiere beiderlei Geschlechts tragen ein nach hinten gebogenes einfaches Gehörn, welches jährlich weiter wächst, also nie abgestoßen wird, wie etwa bei Rehen und Hirschen. Männliche Tiere, von größerer und stämmigerer Gestalt, entwickeln eine sich jährlich verstärkende und verlängernde Hornform, die durch ihre Jahresringe erlaubt, das Alter der Tiere genau zu beurteilen.
Bei männlichen Tieren wurden Gesamtlängen der schließlich über eine 360-Grad-Windung hinausgehenden Hörner von 90–115 Zentimeter Länge und ein Umfang von über 40 Zentimeter an ihrer Schädelbasis gemessen, während die Weibchen nur vergleichsweise kurze und schlankere Hörner tragen. Diese wachsen schließlich nicht weiter und krümmen sich auch nicht mehr, so daß die weiblichen Tiere von jugendlichen Böcken nicht sofort zu unterscheiden sind.
Männliche Bighorns erreichen eine Größe von 75–110 Zentimetern und ein Gewicht bis 150 Kilogramm, während Weibchen nur etwa halb so schwer werden.
Das braungraue Fell ist an der Bauchseite deutlich heller, während die Rückansicht durch cremeweiße, deutliche abgesetzte Färbung auffällt.
Nach einer Tragzeit von 180 Tagen wird gewöhnlich im Mai/Juni ein Lamm geboren, gelegentlich auch zwei. Schon bald nach der Geburt können sie der Mutter im schwierigen Gelände folgen.
Allein im Banff Nationalpark leben derzeit rund 1200 Bighorns, womit eine Höchstzahl im Verhältnis zur verfügbaren Weidefläche erreicht ist, da Wapiti-Hirsche (Elk) während des Winters in den gleichen Gebieten mit ihnen um Futter konkurrieren.

Deer (Odocoileus – Rehe)

Zwei einander ähnliche Arten von Rehen leben auf dem nordamerikanischen Kontinent: Das Mule Deer oder Blacktail Deer (Odocoileus hemionus), so nach seinen mauleselartig großen Ohren benannt, bevölkert in erheblicher Zahl den gesamten Westen der USA und Kanadas, von Mexiko bis fast zum Polarkreis.
Das Whitetail Deer (Odocoileus virginianus), auch einfach Whitetail oder Virginia Deer genannt, kommt außer in den Südweststaaten der USA in allen Bereichen beider Länder vor, vor allem jedoch im Osten.
Beide Arten sind in den Nationalparks der Rocky Mountains heimisch, weshalb sie hier vergleichend beschrieben werden sollen.
Von ähnlicher Größe (90–110 Zentimeter) und Schwere (35–180 Kilogramm) der Böcke, sind die Mule Deer-Weibchen kaum halb so schwer (45–65 Kilogramm) wie die Whitetail-Rehe (25–110 Kilogramm). Auch im Aussehen unterscheiden sich beide Reharten erheblich. Das Whitetail-Reh hat im Sommer ein rotbraunes, im Winter ein blaugraues Fell, was beim Mule Deer weniger stark ausgeprägt ist. Der etwas hellere Schwanz des Mule Deer ist kürzer und hat eine schwarze Spitze, während beim Whitetail die Körperfarbe auf den längeren buschigen Schwanz übergeht, dessen Unterseite weiß ist und bei der Flucht hochgereckt wippend gezeigt wird: Das Tier »zeigt Flagge«.
Auch die Geweihe der Böcke zeigen Unterschiede. Werden beim Whitetail größte Weiten von 85 Zentimeter beschrieben, so bringt es der Mule Deer-Bock bis auf 120 Zentimeter, wobei auch die Geweihformen unterschiedlich sind: Während sich die Äste beim Whitetail von einem Hauptstamm aus entwickeln, wachsen sie beim Mule Deer verzweigend und weniger symmetrisch.
Das Whitetail-Reh bevorzugt Wälder unter-

schiedlicher Art, auch Buschgelände und Feuchtgebiete, wohingegen man das Mule Deer meist in höhergelegenen Nadelwäldern sieht, aber auch im Niederholz von Mischwald, Prärien, ja sogar Halbwüsten-Landschaften, was eine beachtliche Anpassungsfähigkeit der Ernährungsweise voraussetzt.
Beide Reharten haben eine Tragzeit von etwa sieben Monaten. Im Juni/Juli werden häufig zwei Kitze geboren, die schon wenige Minuten nach der Geburt aufstehen und der Mutter folgen können, welche sie meist noch ein ganzes Jahr begleiten.
In den Nationalparks des Westens kommen beide Tierarten häufig vor; in den Wäldern eher Whitetails, die sich von Gras, Kräutern, Zweigen und Früchten ernähren und im Winter in geringen Höhen oft in Gruppen bis 25 Tieren anzutreffen sind.

Wapiti Elk (Cervus canadensis)

Diese Hirsche sind das größte Rotwild auf dem nordamerikanischen Kontinent, übertroffen lediglich von den schaufelgeweihtragenden Elchen. Sie sind Wiederkäuer, die von Gras, Kräutern, Zweigen und Borken leben.
Frühe europäische Siedler glaubten irrtümlich, daß diese Hirsche nahe Verwandte der nordeuropäischen Elche seien, woher ihr Name aus dem Griechischen (Elephos) oder Althochdeutschen (Elaho) abgeleitet wurde. Tatsächlich sind manche Zoologen auch heute noch von der nahen Verwandtschaft des nordamerikanischen Elks zu den in Europa und Asien beheimateten Hirscharten (Elaphos) überzeugt.
Die Bezeichnung Wapiti geht auf die Shawnee-Indianer oder Algonquian-Stämme zurück.
Die Wapiti-Hirsche, die noch vor wenigen Jahrhunderten den gesamten Mittelwesten und Norden Nordamerikas bevölkerten, sind dem zunehmenden Zivilisationsdruck immer weiter gewichen. Sie wurden durch unsinnige Jagdbräuche und Trophäensucht soweit dezimiert, daß sie um die Jahrhundertwende nur noch in zehn Prozent ihres früheren Lebensraumes vorkamen. Ein intensives Programm, bis heute nur teilweise erfolgreich, hat es immerhin vermocht, diese von der völligen Vernichtung bedrohten Tiere wieder zu größeren Herden, vorwiegend in Alberta, Saskatchewan und Manitoba anwachsen zu lassen. Auch in British Columbia sowie den amerikanischen Nationalparks Grand Teton, Yellowstone, Glacier, Olympic und Rocky Mountains finden sich wieder gesunde Hirschpopulationen.
Am sichersten kann man einer Elk-Herde am Westende der Banff Townsite begegnen, wo sie auf dem Sport- und Spielplatz der Stadt unbekümmert vom Zivilisationslärm stundenlang weiden, ein versöhnender Anblick.
Zur Zeit leben allein im Banff Nationalpark 1 500 Wapiti-Elks, womit die obere Grenze der verfügbaren Nahrungsquellen erreicht ist, weshalb eine Begrenzung auf diese Anzahl erfolgen muß, um größere Schäden an der Vegetation zu vermeiden.
Die Böcke erreichen Größen von bis zu 150 Zentimetern Schulterhöhe bei Gewichten von 300–450 Kilogramm. Die Hirschkühe sind mit 200–270 Kilogramm deutlich graziler.
Die Farbe des Felles ist von leicht rötlichem Mittelbraun, wobei die Halspartie deutlich dunkler ist. Böcke haben eine Mähne. Die Hinterseite bei Männchen und Weibchen ist von einem großen blaßgelben Fleck gekennzeichnet.
Im Frühjahr entwickeln die Böcke jährlich prächtige Geweihe mit Stangenlängen bis 165 Zentimetern und Weiten bis zu zwei Metern; gewöhnlich haben erwachsene Böcke bis zum August sechs Enden je Seite, von denen der Bast bis dahin abgestoßen ist.
Nach einer Tragzeit von achteinhalb Monaten wird gewöhnlich im Juni ein Kitz geboren, welches schon wenige Minuten nach der Geburt gehen kann und ein hübsch geflecktes Fell trägt.
Nach Geburt der Jungen bilden die Hirschkühe meist Rudel von 25 und mehr Tieren und halten sich mit ihren Kitzen in Höhen nahe der Baumgrenze auf, um lästigen Insekten nicht ausgesetzt zu sein.
Die Böcke führen derweil ein Einzelleben in entlegeneren Gebieten und werden erst zur Brunftzeit im späten August bis Oktober bei den Herden beobachtet. Zu dieser Zeit setzen zwischen den Böcken oft erbitterte Kämpfe um die Sexualrechte ein, die manchmal zu Geweihbrüchen, schweren Verletzungen oder seltener tödlichen Folgen führen.

Später im Jahr suchen alle Tiere geringere Höhen, schließlich die Täler auf, um dort ihren Nahrungsbedarf zu decken, der bei den großen Schneehöhen oft zum Überlebensproblem wird. Erst im Spätwinter werden die Geweihe abgeworfen.

Moose (Alces Alces – Elch)

Der Elch ist das größte Säugetier der Familie der Paarhufer, zu denen auch die Karibus und Hirsche gehören. Alle sind Wiederkäuer.
Durch seine etwas unbeholfen wirkende Gestalt, die deutlich überhängende Schnauze und die von der unteren Halspartie herabhängende »Glocke« ist er von anderen Großsäugern mühelos zu unterscheiden.
Männliche Tiere werden bis zu zwei Meter groß und erreichen Gewichte über 500 Kilogramm. Sie entwickeln ein Geweih beachtlicher Größe, welches sich von denen anderer Tiere durch schaufelartige Verbreiterungen der Geweihstangen unterscheidet. Spannweiten bis zu zwei Meter wurden beschrieben. Zwischen Dezember und Februar werden die Geweihe abgeworfen.
Elchkühe erreichen nur etwa zwei Drittel vorgenannter Gewichte und tragen kein Geweih.
Das Fell dieser stattlichen Tiere ist von dunklem Braun bei grauen Beinen, die im Verhältnis zur sonst eher massigen Körperform relativ lang erscheinen.
Überwiegend nachtaktiv, ist es für den Besucher schwierig, Elche zu beobachten, wenngleich sie auch tagsüber in für ihre Ernährung geeigneten Gebieten unterwegs sind. Dies sind im wesentlichen Flußniederungen, Sumpfgebiete und mit Weidengebüsch bestandene Täler. Dort stehen sie meist im Wasser, äsen Wasserpflanzen und Feuchtbiotop-Kräuter. Oft sieht man nur ein einzelnes Tier, bestenfalls eine Elchkuh mit ihrem Kalb, gelegentlich auch mit einem Bullen, selten jedoch Gruppen.
Im Winter dienen Zweige, Jungtriebe und Rinden als Nahrung, die sie in bewaldeten Feuchtgebieten finden.
Nach achtmonatiger Tragzeit wird im Mai/Juni gewöhnlich ein Kalb geboren, welches der Mutter nach drei Tagen zu folgen vermag.
In den Nationalparks Kanadas hat man vor allem in den vorbeschriebenen Niederungen, also den Hauptflußtälern, eine Chance, Elchen zu begegnen wie auch an den sogenannten »animal licks«, Stellen mineralsalzreicher Zusammensetzung. Da die Tiere relativ scheu sind, empfiehlt es sich, den Wagen nicht zu verlassen. Ein laufender Motor wie andere technische Geräusche (Kameraklicken) hingegen scheinen sie nicht zu stören.
Geweihtragende Prachtexemplare sind als typische Einzelgänger kaum vor die Kamera zu bekommen, und dann erst nach Ausbildung ihrer schönen Schaufeln ab September.
Trotz ihrer Körpermasse erreichen Elche an Land bei Bedarf Geschwindigkeiten bis zu 50 Stundenkilometer und können schneller schwimmen als zwei kräftige Männer ein Kanu zu paddeln vermögen.

Woodland-Caribou
(Rangifer caribou – Karibu)

Von den drei hauptsächlichen Karibuarten findet sich in den kanadischen Rockies nur das hier kurz zu beschreibende Woodland-Karibu.
Diese Tiere sind hier derart selten, daß sie für den touristischen Beobachter kaum eine Rolle spielen.
Das männliche Tier mit dunkel-bräunlichem Fell, welches am Hals und oberhalb der Hufe weißlich aufgehellt ist, erreicht Größen bis 1,20 Meter und Gewichte über 250 Kilogramm. Karibu-Kühe sind rund ein Drittel kleiner und leichter.
Geweihe werden von allen männlichen und etwa der Hälfte der weiblichen Tiere getragen; bei Böcken können sie 1,50 Meter Weite aufweisen und liegen in ihrer teilschaufeligen Konfiguration etwa zwischen denen von Elch und Hirsch.
Nach achtmonatiger Tragzeit wird meist ein, selten auch zwei Kitze geboren, das der Mutter bereits kurz nach der Geburt folgt.

Bison (Buffalo – Bison bison)

Die imposanten Tiere, von frühen Siedlern und Wildwest-Schriftstellern oft fälschlicherweise Buffalo genannt, waren noch vor wenigen Jahr-

hunderten das den Kontinent beherrschende Großwild und die Hauptnahrungsquelle der Urbevölkerung. Archäologische Funde lassen darauf schließen, daß die Bisons schon vor mehr als 12000 Jahren den nordamerikanischen Indianern Nahrung, Kleidung und Werkzeuge bedeutet haben.
Noch 1790 wurde geschätzt, daß über 60 Millionen dieser prachtvollen und dem Menschen gegenüber völlig arglosen Tiere die weiten Prärien bevölkerten.
Mit dem Einzug des weißen Mannes in ihre Gebiete begann jedoch bald die hemmungslose, heute unbegreiflich erscheinende Welle grausamer Jagd- und Mordgier, mit dem Ergebnis, daß im Jahre 1890 der Restbestand der Bisons auf 1090 Exemplare geschrumpft war.
Die Massentötung einer Tierart, die dem Menschen in keiner Weise im Wege stand, sondern ihm nur nützlich war und weiter hätte sein können, hatte fast zur Ausrottung einer einzigartigen Spezies geführt.
Einem einzelnen Manne ist es heute zu verdanken, daß die Art schließlich doch erhalten blieb, wenngleich in bisher, nach wiederum über hundert Jahren, vergleichsweise unbedeutenden Zahlen.
Im Jahre 1874 fing ein Indianer mit dem Namen »Walking Coyote« vier Exemplare im südlichen Alberta ein und begann mit ihnen die Züchtung einer kleinen Herde.
Von der Aufzucht, die durch Verkauf von zehn Tieren an die Rancher C. A. Allard und Michel Pablo in Montana zur Weiterzüchtung eine weitere Basis erfuhr, kaufte die kanadische Regierung im Jahr 1907 schließlich 716 Bisons, um sie in eigens dafür vorgesehenen Schutzgebieten anzusiedeln. Heute findet man wieder Herden unterschiedlichen Umfangs sowohl in Privatbesitz wie in staatlich geführten Züchtungsanstalten, Schutzgebieten und vor allem den Nationalparks von Kanada und den USA. Die jetzige Gesamtzahl dieser Tiere wird für Kanada mit über 15000 angegeben, von denen die Mehrzahl im Wood Buffalo Nationalpark im südlichen Teil der Provinz Alberta lebt.
Die Wahrscheinlichkeit in einem der ausgedehnten Nationalparks einem freilebenden Bison zu begegnen ist sehr gering. Jedoch findet sich im Nordosten der Banff Townsite ein etwa 40 Hektar großes eingezäuntes Reservat (paddock), in dem eine Herde von Plains Bisons gehalten wird. Eine kurze Teerstraße erlaubt, die Tiere vom Wagen aus zu beobachten.
Auch am Nordeingang des Waterton-Glacier Nationalparks kann man im Wagen durch ein Bisongehege fahren und die Herde gut sehen.
Man unterscheidet den Plains Bison, der vor 200 Jahren alle offenen Graslandschaften des Kontinents bevölkerte, von dem Wood Bison, einer weniger zahlreichen Unterart, die hauptsächlich die bewaldeten nordwestlichen Bereiche bevorzugt.
Beide Arten haben sich inzwischen weitgehend miteinander vermischt. Reine Bestände von Wood Bison-Herden sind nur noch in Elk Island und der Umgebung von Fort Providence, in der Provinz Northwest Territories, heimisch.
Bisons sind mächtige Tiere mit elementaren Kräften. Männliche Tiere erreichen Gewichte von 750–1000 Kilogramm und bis 185 Zentimeter Größe. Weibliche Bisons werden nur etwa halb so schwer.
Das Fell ist meist von dunkelbrauner Farbe und zottelig. Beide Geschlechter tragen Hörner, die nicht abgestoßen werden.
Trotz ihrer beachtlichen Maße und ihrem schwerfälligen Aussehen können Bisons erstaunlich schnell reagieren und bei Herausforderung Geschwindigkeiten bis 60 Stundenkilometer erreichen. Der 100-Meter-Weltrekord der Männer liegt bei 36 Stundenkilometer, so daß kein Mensch eine Chance zur Flucht hätte. Leider ereignen sich immer wieder schwere, auch tödliche, Unfälle, weil törichte Touristen sich den Tieren leichtfertig nähern.
Nach einer Tragzeit von 9 Monaten wird in der Regel ein lohfarbenes Kalb von 15–30 Kilogramm Gewicht geboren, welches der Mutter schon bald zu folgen vermag.

Bären

Vier gut unterscheidbare Arten von Bären sind auf dem nordamerikanischen Kontinent heimisch, von denen der Eisbär (Polar Bear/Thalarctus maritimus) jedoch nur im von Dauereis bedeckten

äußersten Norden und Nordosten vorkommt, und der alaskische Braunbär (Alaskan Big Brown Bear/Kodiak Bear/Ursus middendorffi) lediglich in den nordwestlichen Maritimzonen Alaskas.
In den Nationalparks der Rocky Mountains kann man zwei anderen Arten von Bären begegnen, die zwar körperlich kleiner als die oben erwähnten sind, aber dennoch von imponierender Gestalt, großer Kraft und Wendigkeit bei meist kaum abschätzbarem Verhalten dem Menschen gegenüber. Da sich in den Parks eine beachtliche Anzahl dieser Tiere aufhält, besteht immer die Möglichkeit, auf einem Wanderpfad plötzlich mit einem Bären konfrontiert zu sein, weshalb hier eine etwas ausführlichere Darstellung angemessen erscheint.
Der Schwarzbär (Black Bear/Ursus americanus Pallas) kommt entgegen seiner summarischen Bezeichnung in verschiedenen Fellfarben vor, von blond über zimtfarben bis zu dunkelbraun und schwarz, oft mit einem weißlichen Fleck an Kehle oder Brust.
Seine Schulterhöhe beträgt um 90 Zentimeter, die Gesamtgröße 150–180 Zentimeter, sein Gewicht kann 270 Kilogramm überschreiten. Dennoch ist er damit der kleinste amerikanische Bär. Weibliche Tiere sind meist von geringeren Ausmaßen.
Der Schwarzbär bevorzugt bergiges bis alpines Gelände und ernährt sich vorwiegend von Beeren, Nüssen, Samen, Wurzeln, Insekten und deren Larven oder Honig, aber auch von Vogeleiern, Aas und menschlichen Abfällen.
Seine Lebensweise ist zwar hauptsächlich von nächtlicher Aktivität geprägt, doch kann man ihm auch tagsüber begegnen.
Die männlichen Tiere sind außerhalb der Brunftzeit meist Einzelgänger, während die weiblichen geselliger sind, den Sommer über mit ihren 2–5 Jungen unterwegs, die nach einer Tragzeit von sieben Monaten (nur jedes zweite Jahr) nach der Geburt nur 200–350 Gramm wiegen, die Augen erst nach 25–30 Tagen öffnen und das ganze erste Lebensjahr in der Obhut der Mutter bleiben.
Ein Winterschlaf mit Unterbrechungen wird von den Bären nur in den kalten nördlichen Regionen gehalten. Seh- und Hörvermögen sind durchschnittlich ausgebildet, der Geruchssinn dafür um so besser.
Der Grizzlybär (Grizzly Bear/Ursus artus horribilis Ord) kann ebenfalls verschiedene Fellfarben aufweisen, von hellbraun bis schwarz. Stets aber sind die Haarspitzen deutlich grauweißlich aufgehellt, wodurch sich ein gräulicher Gesamteindruck ergibt. Ein Buckel am Übergang von Hals zum Rücken ist ein für den Grizzly typisches Kennzeichen.
Männliche Grizzlies erreichen Schulterhöhen von deutlich über einem Meter, während sie aufgerichtet zwei Meter oft überschreiten. Gewichte von 200 Kilogramm sind Durchschnitt, nicht wenige Tiere erreichen aber bis 450 Kilogramm. Bei solchen Körpermaßen muß es verwundern, wie reaktionsschnell und ausdauernd diese Bären sind, vor allem bei Hunger, plötzlicher Konfrontation oder der scheinbaren Notwendigkeit, die Jungen vor Gefahr zu schützen.
Da die unvorhersehbare Begegnung mit einem Bären in den Nationalparks grundsätzlich überall, sogar auf Campingplätzen oder gar im Stadtbereich, erwartet werden muß, sollen hier einige wichtige Grundkenntnisse und Verhaltensregeln angeführt werden, die das allgemeine Risiko vermindern können.
Bären sind echte Wildtiere, die sich selbst nach längerem Aufenthalt im Zoo nicht an den Menschen gewöhnen oder sich ihm gar unterordnen. In der freien Natur sind sie absolut unberechenbar und wegen ihrer Stärke und Behendigkeit, Agilität und Ausdauer fürchtenswert.
Jeder Bär hat eine ausgeprägte Individualität, weshalb kein Experte voraussagen kann, zu welcher Verhaltensweise sie im gegebenen Fall führt. Angriffe von Bären sind daher immer wieder an der Tagesordnung, meist mit schrecklichem Ausgang für den in jeder Hinsicht unterlegenen Menschen. Es ist daher strikt verboten, sich einem Bären gleich welcher Art und unter welchen Umständen etwa zu nähern, um ihn womöglich füttern zu wollen, was ohnehin gegen die Parkgesetze verstößt. Auch wenn ein Bär völlig friedlich und zutraulich erscheinen sollte, so ist zumindest richtig, was mir ein erfahrener Park-Warden sagte: »Der Bär weiß ja nicht, wo das angebotene Futter endet und der Arm eines wohlschmeckenden Touristen beginnt.«
Immerhin haben Bären 42 Zähne, wovon die vorderen Reißzähne erschreckende Ausmaße haben.

Vorsichtsmaßregeln

Jeder Bär fühlt sich bedroht, wenn er überrascht wird; vor allem dann, wenn er keine unmittelbare Rückzugsmöglichkeit sieht, wird er zum Angriff übergehen. Dies trifft in besonderer Weise auf Bärenmütter zu, die mit ihren Jungen unterwegs sind. Ein grundsätzlicher Unterschied zwischen dem Verhalten von Schwarzbären und Grizzlies besteht kaum, wenngleich dem letzteren größere Angriffsbereitschaft nachgesagt wird.
Da es aber manchmal, vor allem für den Unerfahrenen, schwierig ist, einen jungen Grizzlybären von einem Schwarzbären zu unterscheiden, gilt das Nachfolgende grundsätzlich für beide Spezies.
Auf Wander- und Bergpfaden sei man besonders aufmerksam, wenn man gegen den Wind geht. Allein zu gehen empfiehlt sich niemals. Wenn aber zu zweien oder in Gruppen, sollte man sich laut unterhalten, pfeifen, singen oder zumindest ein »Bärenglöckchen« (in jedem Souvenierladen) am Gürtel tragen. Notfalls tut es eine mit Steinchen gefüllte Blechdose.
Ohne diese Vorsichtsmaßnahmen könnte der Bär den Menschen plötzlich wahrnehmen und sich durch dessen unvermutete Nähe bedroht fühlen.
Halten Sie stets Ausschau nach Bärenspuren (Fußsohle mit fünf Zehen) und großkalibriger Losung (meist locker und dunkel, mit erkennbaren Beerenkern-Resten).
Auch aufgegrabener Boden in der Nähe von Wurzeln ist fast immer ein Hinweis auf Bärenaktivität.
Folgen Sie niemals einem offensichtlichen Bärenpfad, sondern kehren Sie um und wählen eine andere als die vorgesehene Zielrichtung.

Auch sollte man niemals einen Hund mit auf die Wanderung nehmen. Sein Geruch fordert einen Bären heraus, dessen Angriff sich auf Sie ausdehnen wird, sobald der Hund bei Ihnen Schutz sucht.

Wenn Sie im Hinterland campen wollen, so sind weitere Vorsorgemaßnahmen unerläßlich.
Bären fressen nahezu alles, was ihnen irgendwie zugänglich ist, nicht zuletzt menschliche Nahrung, die ihnen durch achtlos hinterlassene Reste vertraut geworden ist. Deshalb sollten jegliche Nahrungsmittel luftdicht in Plastikbeutel verpackt werden. Bei Übernachtung müssen dieselben an einer festen Schnur mindestens drei Meter hoch an einem Baumast befestigt werden.
Niemals Nahrung im Zelt aufbewahren, niemals im Zelt essen oder gar kochen. Der Geruch setzt sich im Gewebe fest und stellt für einen Bären eine unwiderstehliche Anziehungskraft dar. Er wird das Zelt nachts, wenn Sie im tiefsten Schlaf liegen, mühelos über Ihnen zerreißen und seine Bedürfnisse befriedigen, wahrscheinlich auch an Ihnen.
Wie hilflos der Mensch dann diesem überlegenen Angreifer ausgeliefert ist, machen die vielen Todesfälle deutlich, die immer noch regelmäßig zu beklagen sind.
Auch der Geruch von parfümierten Artikeln, wie Cremes oder Seifen wirkt anziehend auf Bären.
Nahrungsreste also stets verbrennen, nie vergraben. Bären finden sie, wodurch die nächsten Bergwanderer um so mehr gefährdet sind.
Es gibt Hinweise, daß Bärenangriffe auf Frauen während der Menstruation sich häufiger ereignen.

Verhalten bei Begegnung

Trotz aller Vorsichtsmaßnahmen kann es unvorhergesehen zu Begegnung auf Sichtweite sowohl mit Grizzlies als auch mit Schwarzbären kommen. Dann ist umsichtiges und kenntnisreiches Verhalten gefragt. Obwohl keine garantiert lebensrettenden Maßnahmen bekannt sind, gibt es doch Erfahrungen, die man berücksichtigen sollte.
Auswertungen von Bärenangriffen der jüngeren Zeit veranlassen zu der Annahme, daß deren Attacken nicht unbedingt darauf ausgerichtet sind, den vermeintlichen Gegner zu töten, sondern ihn bewegungsunfähig zu machen. Sich »tot zu stellen« scheint also eine gewisse Überlebenschance zu bieten. Solche Fälle sind zwar bekannt, allerdings kann man von kaum jemandem solche Nervenkraft und Selbstkontrolle erwarten. Außerdem sind die körperlichen Kräfteverhältnisse zwischen beiden Partnern derart ungleich, daß ein Bär selbst ohne Tötungsabsicht sein unterlegenes Opfer durch einen einzigen Prankenhieb tödlich verletzen kann. Auch sind wenige Fälle verbürgt, in denen der Bär nach Schlägen auf empfindliche Körperteile, wie Schnauze oder Augen, das Weite gesucht haben soll. In jedem Falle scheint jedoch

die absolute Vermeidung jeder körperlichen Annäherung oder gar Auseinandersetzung mit Bären noch immer die beste Lösung darzustellen, heil davonzukommen.

Folgende Empfehlungen können aus jahrelangen Erfahrungen hilfreich sein:

1. Panikartig wegzulaufen ist keine gute Idee. Dies könnte die Jagdinstinkte des Bären wecken, der bekanntlich die Geschwindigkeit eines Rennpferdes entwickeln kann.

2. Behalten Sie Ruhe, zeigen Sie keinerlei Hast oder plötzliche Bewegungen.

3. Legen Sie unter langsamem Zurückweichen Ihr Gepäck vor sich ab, um ihn damit abzulenken und gehen Sie nicht in die von dem Bären ursprünglich beabsichtigte Richtung.

4. Ist es ein Grizzly, so sprechen Sie mit ruhiger Stimme zu ihm, während Sie zurücktreten.

5. Schauen Sie sich dabei vorsichtig nach einem Baum um, den Sie erklettern können. Grizzlies sind schlechte Kletterer, können jedoch aufgerichtet bis drei Meter hoch hinaufreichen. Steigen Sie also so hoch, wie es der Baum sicher erlaubt.
   Schwarzbären allerdings sind derart gute Kletterer, daß ein Baum kaum eine Fluchtchance bietet.

6. Stellt sich ein Bär mit hochgereckter Schnauze auf die Hinterbeine, so muß dies keine Angriffsbedeutung haben. Möglicherweise versucht er, Ihren Geruch zu identifizieren.

7. Selbst bei einem scheinbar unmittelbar bevorstehenden Angriff kommt es gelegentlich vor, daß der Bär es bei der Drohgebärde beläßt und in letzter Sekunde ausweicht.

8. Kommt es tatsächlich zu einem Angriff, so ist als wirklich letzte Möglichkeit das »Totstellen« beschrieben: Lassen Sie sich fallen, mit dem Gesicht gegen den Boden, die Beine zur Brust angezogen und die Hände zum Schutz über dem Nacken, einer von Bären bevorzugten Stelle des meist sofort tödlichen Zubisses. Ein Rucksack kann als zusätzlicher Schutz dienen. Hierzu gehört allerdings grenzenloser Mut, aber jeder Widerstand wäre ohnehin sinnlos. Unter diesen Umständen haben mehrere überlieferte Angriffe zu nur geringen Verletzungen des Opfers geführt.

Der beste Rat ist jedoch wohl, vor beabsichtigten Fußtouren sich im Visitor Center oder bei der nächstgelegenen Warden-Station danach zu erkundigen, ob und wo zuletzt Bären gesichtet wurden.
Sollten Sie vom Auto aus zufällig eines oder mehrerer Bären ansichtig werden, so bleiben Sie unbedingt im Fahrzeug, bei geschlossenen Fenstern, auch wenn Sie dabei einer Foto-Trophäe verlustig gehen.
Jede Sichtung eines Bären sollte aus verständlichen Gründen rasch den offiziellen Parkorganen zur Kenntnis gebracht werden, damit Gefährdungen anderer Naturliebhaber durch Warnungen oder Sperrung des Gebietes nach Möglichkeit ausgeschlossen werden können.
Wer all diese Ratschläge in praktisches Verhalten umsetzt, braucht eigentlich nicht besorgt zu sein, daß die Begegnung mit Bären ernsthafte Probleme mit sich bringen muß. Unter erfahrenen Wildhütern, Park-Wardens und Tierfotografen besteht Einigkeit darüber, daß die meisten Bären normalerweise überhaupt keine Notiz vom Menschen nehmen, solange sie nicht in unvernünftiger Weise belästigt oder herausgefordert werden.

Verhalten in den Nationalparks

1. Motorfahrzeuge sind nur auf den dafür vorgesehenen Straßen erlaubt.

2. Wanderwege und Bergpfade nicht um einer möglichen Abkürzung willen verlassen, da hierbei die in diesen Höhen nur mühsam wachsende Vegetation beschädigt und damit zerstörender Erosion Vorschub geleistet würde.

3. Keine Pflanzen, Blüten, Steine, Fossilien oder historische Gegenstände mitnehmen. Andere Besucher sollen die Parks ebenfalls in ihrer ursprünglichen Unberührtheit erleben können.

4. Alle Bergwanderer, die im Hinterland übernachten wollen, benötigen dazu eine schriftliche Erlaubnis. Dieses »back country use permit« wird von den jeweiligen Informationszentren oder Warden Offices ausgestellt. Dort ist auch die Broschüre »Back Country Visitor's Guide« erhältlich.

5. Angler benötigen ein »National Park Fishing Permit« und müssen sich über die geltenden Bestimmungen genau informieren. Diese Angelerlaubnis ist bei den Organen der Parkverwaltungen erhältlich und für alle kanadischen Nationalparks im jeweiligen Jahr gültig.

6. Rücksichtsvolles Verhalten auf den Wanderpfaden muß von jedem Besucher der Parks im Allgemeininteresse erwartet werden. Dazu gehört in erster Linie, daß jeglicher Unrat, der unvermeidbar anfällt, wieder mit zurückgenommen wird. Fäkalien sind mindestens 50 Meter weit von den Pfaden und 30 Zentimeter tief zu vergraben.

7. Soweit kommerzielle Beherbergung, die nur in wenigen Parks möglich ist, nicht in Anspruch genommen wird, ist jegliche Übernachtung, besonders in Fahrzeugen, nur auf den dafür eingerichteten Campingplätzen erlaubt, um jeder Naturverschmutzung vorzubeugen. Wildes Campen außerhalb der Campgrounds ist unzulässig.

8. Hunde oder andere Haustiere müssen stets an einer Leine geführt werden, die nicht länger als 1,80 Meter sein darf. Auf Wanderpfaden dürfen Hunde nicht mitgeführt werden, um Wildtiere nicht zu belästigen oder zu gefährden. Besonders bei Begegnung mit Bären könnte ein Hund zu einer gefährdenden Herausforderung führen.

9. Feuer dürfen nur in den dafür vorgesehenen Feuerstellen der Campgrounds und Picknickareale entzündet werden. Das gleiche gilt für tragbare Grillgeräte. Anfallende Holzkohlereste oder Asche bitte in den entsprechenden Behältern deponieren.
   Feuerholz wird bei vielen Campingplätzen verfügbar gehalten, meistens sogar kostenlos. Es ist absolut verboten, sich mit der Axt im Wald selbst zu versorgen.

10. Trinkwasser ist in zunehmendem Maße in allen Parks ein echtes Problem. Infolge der touristischen Erschließung der noch vor wenigen Jahrzehnten von Menschen völlig unberührten Naturgebiete ist es zu einer weitgehenden Verseuchung aller Oberflächen-Gewässer gekommen. Auch die Tierwelt ist inzwischen davon betroffen und wirkt deshalb als Verbreiter krankheitserregender Keime und Parasiten mit.
    Giardia lamblia wird von Bibern und anderen Wildtieren auf fast alle Gewässer übertragen. Eine Erkrankung durch diesen gefährlichen Parasiten kann sehr dramatisch verlaufen, zumal ärztliche Hilfe selten rechtzeitig verfügbar sein dürfte. Es ist daher dringend geboten, jegliches Wasser zum Trinken oder auch nur zum Zähneputzen mindestens 5 Minuten kochen zu lassen. Hierbei ist zu berücksichtigen, daß Wasser in Höhen über 2000 Metern bereits bei Temperaturen wenig über 90 Grad Celsius zu kochen beginnt, was manche Bak-

terienarten überstehen. Längeres Kochen kann hier helfen.

11. Hochgebirgstouren bergen auch in den warmen Jahreszeiten wegen der grundsätzlichen Möglichkeit unvorhersehbarer Wetterveränderungen die Gefahr der Unterkühlung. Betroffen sind davon fast ausschließlich alpin unerfahrene Bergtouristen, die es leichtfertig an angemessener Ausrüstung und Bekleidung fehlen lassen und oft sogar dringende Ratschläge und Vorschriften in den Wind schlagen.
Verliert der Körper längere Zeit durch niedrige Außentemperaturen, Wind und hohe Luftfeuchtigkeit (wodurch auch anscheinend ausreichende Kleidung viel Isolierwert einbüßt) mehr Wärme, als der Stoffwechsel nachliefern kann, kommt es zur allmählichen Absenkung der Körpertemperatur unter normale Werte, der Hypothermie. Sie ist die bei weitem häufigste Todesursache von Bergwanderern. Sinkt die Innentemperatur des Körpers auf Werte unter 37 bis 30 Grad Celsius ab, kann Sinnestrübung bis zur Bewußtlosigkeit eintreten, bei weniger als 28 Grad Celsius sogar der Herzstillstand.
Die Gefahr der Unterkühlung entsteht am häufigsten bei relativ milden Temperaturen von plus 10 Grad bis minus 1 Grad Celsius, vor allem nach Wetterumschlag mit Wind, Regen oder Schneetreiben. Dies kommt in den kanadischen Rockies häufig vor und ist auch im Hochsommer jederzeit möglich, in vielen Regionen sogar innerhalb sehr kurzer Zeitspannen, wie sie für manche der scheinbar mühelosen Bergpfade angegeben sind. Deshalb hier einige eventuell lebensverlängernde Ratschläge:

- Wärmedämmende Extrakleidung in wasserdichtem Plastiksack mitnehmen.
- Durch rechtzeitiges Anlegen wasserfester Überbekleidung versuchen, stets trocken zu bleiben.
- Den Kopf vor Abkühlung und Nässe schützen.
- Schon beim ersten Gefühl der Auskühlung hochkalorischen Proviant knabbern (Nüsse, Traubenzucker). Keinesfalls Alkohol trinken! Niemals Schnee essen oder Körperteile damit abreiben; dies brächte zusätzlichen Wärmeverlust und Senkung auch der Körperkerntemperatur.
- Auf kürzestem sicherem Weg zurückgehen zu jedem möglichen Ort, der wärmenden Schutz bietet (Auto, Hütte, Warden-Station).
- Erwärmung des Körpers von außen, etwa durch andere Personen, Wärmepackungen, Wannenbad, möglichst unter ärztlicher Betreuung.

Um Gefahren zu begegnen, muß man sie kennen und erkennen können: Drohende Unterkühlung kündigt sich an durch ein Gefühl des Kaltwerdens, durch Kältezittern, Müdigkeit, Benommenheit, Sprachschwierigkeiten, Sehstörungen.
Sollten Sie selbst oder jemand in Ihrer Gesellschaft unter widrigen Außenbedingungen das geringste dieser Symptome an sich wahrnehmen, so ist es höchste Zeit, zu reagieren und rettende Maßnahmen zu ergreifen.

Die dümmste Todesursache ist Selbstüberschätzung und falsches Heldentum.

12. Auch der Umgang mit Wildtieren birgt Probleme, über die man Bescheid wissen sollte, sowohl um der Tiere selbst willen wie natürlich auch wegen möglicher Gefahren für den meist ahnungslosen Touristen.
Deshalb ist es strikt verboten, sich freilebenden Tieren in unangemessener Weise zu nähern oder sie gar zu füttern. Menschliche Nahrung ist für alle Wildtiere unbekömmlich, auch wenn sie sich an manchen Stellen so wenig scheu zeigen, daß sie darum zu betteln scheinen.
Klein-Nager, wie die possierlichen Erdhörnchen können durch unbeabsichtigte Biß- oder Kratzverletzungen beim Füttern auf dem Wege winziger Hautdefekte sogar die Pest (!) übertragen. Diese Krankheit ist in vielen Gebieten der Rocky Mountains endemisch und führt immer wieder zu Todesfällen.